ピンク・バス

角田光代

角川文庫 13380

目次

ピンク・バス

ずっと調子がよくないと何気なく口にすると、朝食をしっかり食べるとか、気に入ったカップラーメンを毎日食べるのを止めるとか、煙草を止めるとか、運動をするとか昼寝を止めるとかすればいいんだよ、とタクジは言う。でもそんなのはサエコが高校生の頃からやっていたことなのだ。言うんじゃなかったと思いながらサエコは公共料金の請求書をテーブルの上で並べかえ、眺め、数字を電卓に打ちこんでいく。今度は頭の中が数字だらけになって重くなる。サエコは請求書に頭を埋める。タクジはその後ろに立ち、しなやかな手つきでコーヒーをいれ、だいたい健康なんていうのはさ、と始める。ほっといたって向こうから来るようなものじゃないんだよ、自分で作り出さなきゃ。君、夏の間ずっとそうやって具合悪いって言って、医者に行くでもなく運動するでもなく、だらだら過ごしてたじゃない。それじゃよくなるものもよくならないよ。

低血圧気味のサエコは毎年夏はつらい。その夏がとっくに終り涼しい風が吹き始めたのにまだだるさが残っているからこうして言っているのに、タクジはそういう細かいことを理解しない。人間ていうのはさ、とか、健康ていうのはさ、とか大まかに括《くく》ってよくわからない理屈でサエコが悪いのだと遠回しに言う。低血圧はねと説明すれば「血圧っていうのはさ」と始め、あなたは健康そのものだからわかんないでしょうねと言えば「だいたいおれはさ」と始めるに決まっている。サエコは時々タクジがロボットみたいに思うことがある。どこかで聞いたまとめの言葉をすべて内蔵した名言要約ロボット。

タクジの言葉は無視して、サエコは医者に行くことにした。一つだけ思い当たることがあって、内科を通り過ぎる。向き合った医者はサエコの赤いジーンズとレニイ・クラヴィッツのトレーナーを眺め、視線を上げて顔を眺めてから、申し訳なさそうに言った。

「違うと思うんですけどね、ちょっとわかりにくいですね、尿検査もしてみますか」

検査結果を待つ間何気なくサエコが結婚していると告げると、医者はもう一度ジーンズ、トレーナー、顔、という順序で眺め、ほほう、そうですかあ、と語尾を伸ばした。

「じゃあ、妊娠していたほうが、いい、ってことでしょうかね?」

彼は言った。サエコがうなずくと医者は急に早口になり、自分にも娘がいてもう二十二なのに結婚する気配すらない、バスガイドかなんかで百万ためて去年オーストラリアに行ってしまったと言った。

「おめでとうございます」

医者は喜んでいるようなほっとしたような表情で告げた。ありがとうございます、と思わずサエコも頭を下げた。帰り道の間、タクジの帰りを待つ間、しばらくぶりに頭の中がすっきりとして身体が軽かった。

しかしタクジはサエコがかみしめたほどの喜びを感じなかったようで、いつだろう、と一言つぶやいた。それから急いでおめでとうと付け加えたのがサエコの気に入らず、

「いつって何が？　生れるのが？　いつのセックスかってこと？　ねえ何がいつ？」

とむきになって聞いた。頭痛もだるさもいっぺんに返ってきた。

「気分はどうですか。どんな気持ちがしましたか」

タクジは慌てて箸《はし》をマイクに見立て、サエコの前に突き出す。

「気分は悪いです。でもこれは普段の暮しぶりが自堕落だからではありません。子供ができたってわかったときは、宇宙ってすごい！　と思いました」

「いよいよ父親になるんですねえ。しっかりしなくちゃいけないなあ。金ももっとためないとなあ」

タクジは箸を握りしめてそう言い、その後に「いや人間ていうのは子を持って初めて一人前になるんだねえ」などと、人ごとみたいにまとめられたらどうしようかとサエコはどきどきして次の言葉を待ったが、タクジはそうか、と言ったきりだった。それからタクジ

は食事中も風呂《ふろ》に入るときも、そうか、そうか、とつぶやいていた。

一人湯船につかって、サエコはまだぺたんこのおなかに手を当て、

「宇宙ってすごいと思いました」

と言ってみた。

おめでとうございますとお医者さんが言ったとき、サエコは本当は、とてつもなく大きな竜巻に吸いこまれたようにも、また同時に、ようやく川を越え切ったようにも思ったのだった。もう間違えることはないだろう。もう取り残されることもないだろう。心の中に浮かんできたのは、漠然としたその二言だった。

いつもいつも、友人たちが向こう岸にいるようにサエコは思っていた。自分だけ、いつの間にか間違った角を曲がってしまっていて、一緒に歩いてきたはずだった友人たちは遠くの向こう岸で後ろ姿をぞろりと見せている、そんな気がしていた。

次の日から二日間、友人や肉親に電話をかけまくり、子供ができたと告げた。経産婦もそうでない人も口々に忠告を与えた。薬は絶対にいけない、重いものは持たないこと、お酒と煙草は止めること、いらいらしないこと、風邪を引かないこと、憎しみや不安などの感情を持たないこと。彼女たちもサエコ以上に興奮し、思いつくかぎりの注意事項を早口にしゃべった。

二日で電話をする相手が見つからなくなった。受話器を置いて「初めての妊娠と出産」を真剣に読んだ。キッチンに西日が差しこむ頃サエコは本を閉じ、規則正しい生活、穏やかな暮し、とつぶやいた。そしてふと振り返ると部屋の中はずいぶんな乱れようだった。新聞やちらし、漫画と週刊誌が床に散らばり、隅には綿くずと髪の毛が絡まりあっている。いらいらして暮せば怒りっぽい子が、乱雑な部屋で暮せば乱雑な子が、だらしなく暮せばだらしない子が生れてくる気が単純にした。橙《だいだい》に染まった部屋をぼんやり眺めていると、サエコの頭の中に「完璧《かんぺき》」という文字がてかりと輝いた。完璧な子供、完璧な暮し、完璧な部屋。何て素晴らしい響きなんだろう。サエコはそっと立ち上がり、だるさと頭痛と闘いながら部屋の中を一つ一つ片付けていった。

湯飲みにこびりついた茶渋を取り、油の飛び散ったやかんを磨き、カーテンを洗濯し、雑誌を束ね、ヒールの高い靴を薄紙に包んで箱にしまった。三十分動いては十分休んだ。どうしようもなく煙草が吸いたかった。まだ平気だろうと、サエコはゆっくりと煙を吸いこむ。そうしていると思い切り満足を感じ、生きてるって素晴らしいとつぶやいてみたりした。

部屋が狭いとか収納場所が少ないとか東側にも窓が欲しいとか、そういった基本的なことはどうにもしようがなかったが、三日もするとサエコが片付けてまわった部屋はそれなりに完璧な状態に思えた。四日目の朝、タクジを見送り昼寝をして二時頃目覚めたサエコは、まだ始末するものがあったと思い出した。湿った雑巾《ぞうきん》が詰まったようなぼやけた頭で、今までの記憶を一部捨てようと決意する。そっと台所の床を磨き、サエコはその作業に取りかかった。どんどん薄められていく記憶と共に、頭の中に残った眠気も遠のいていった。

それはサエコにとって手慣れた作業だった。何度も何度も繰り返してきたことだ。頭の中にこびりついた記憶をほんの少し押し退けて、都合のいい幻想を差し替えればいいのだ。たとえば中学に入った年不良になろうと決意を固めたサエコは、小学校時代先生に褒められたすべての言葉も、聞き分けのいい返事も、期限を守った宿題もすべて忘れた。自分は生れたときから世の中を斜めに構えて見てきたし、すべてに反抗し続けてきたんだと思いこんだ。その真新しい記憶は大学に入った年にもう一度修正された。サエコが大学に入った年はどういうわけかお嬢さまがもてはやされていて、それにあっけなく賛同したサエコにかつての反抗の記憶は邪魔でしかなかった。ロッカールームでエイトフォーを吸っていたことも、風邪薬を規定以上に飲んでへらへらと笑っていたことも、全部幻だったと思いなおした。そうすると不思議なことに、すべては幻以外の何物にも思えなくなってくるのだった。風邪薬のラベルも思い出せず、同時に授業の内容や担任の名前すらも思い出せなくなった。制服にアイシャドーという奇妙な取り合わせで、下敷きが一枚入るくらいの

鞄《かばん》を持って、遠くの駅の自動販売機で煙草を買う女子高生の話になると、心から、

「ああそうそう、そういう人って必ずクラスに一人はいたわよねえ」

と笑うことができるのだった。

それまでは何年かに一度ですんだ記憶の大掃除も、多感な大学生の間に四、五回必要になった。サークルを変えるたび、サエコはお嬢さまだったりエセインテリだったり、男にだらしない淫乱《いんらん》女だったり生れる時期を間違えた六〇年代的ヒッピー崩れだったりした。

いくぶん特殊だったとサエコが思うところの学生時代は、結婚式場を予約したときに排除してあったが、もう一度徹底的に、つるつると光る台所の床のごとく払拭《ふっしょく》された。結婚してから今までの生活、朝の六時からワイドショーを眺めてテレビをつけたまま眠り、夜の八時までまたワイドショーとドラマを見ていたことも、早くも結婚生活に飽きて朝から酒を飲み酔っ払って昔の恋人に電話をかけ、何となく寝ようとして断わられたことも、自分の幸運のために印鑑を三本買って毎日白紙に押していたことも、とにかく「何か違う」ような気がすることはすべて忘れることにした。今まで、特に中学や高校の記憶を捨てるときには、記憶力のよい友人も排除しなければならなかったのだが、結婚してからの記憶は楽だった。結婚してから今日までの日々を十とすると、九割がたサエコは一人このアパートで眠るかテレビを見るか漫画を読むかしていた。「そういえばサエちゃん、新任の男

の先生の出席簿に、真ん中を赤マジックで塗ったナプキンはさんでたじゃない、すごいこと思いつくなあって思ってたんだ」と突然よみがえる友人の記憶にびくびくしないでもすむ。

床を磨き、油の飛び散った壁を磨き、焦げた鍋《なべ》を磨き、換気扇を磨き、黴《かび》だらけの排水口を磨いた。段々気分がよくなってきて、サエコは鉢植えを買いに行った。「幸福の木」とシールの貼られた観葉植物を三鉢買った。帰り道、だんだん足が軽くなってきて、サエコは作業が成功を収めたことを確信するのだった。

からからと晴れた日曜日だった。ラジオを流してサエコが洗濯物を干していると、インターホンが鳴った。タクジが立ち上がって玄関まで行き、髪の長い女を連れて戻ってきた。女は硬い表情で深々と頭を下げる。

「姉貴だよ。おれの」タクジが言った。

「あ、こんにちは、サエコです」

サエコは慌ててどこかとんちんかんな挨拶《あいさつ》をした。急いでラジオを消し、手にしていた靴下をカゴの中に押し込んで部屋に上がる。サエコは自分の義理の姉に初めて会った。

タクジに姉がいることは何となく知っていた。タクジの実家に挨拶に行くとき、きょうだいのことについては何も言うなとタクジに言われていた。しかし彼の母親が深刻そうにその話を持ち出した。もともとしゃんとした子じゃなかったんですが、と母親は言った。しゃんとした、とサエコは心の中で繰り返した。ふらっと出てったっきりなんの連絡もないんです。こういうことは何度もあって、それでも半年に一度ぐらいは帰ってきてたんですけど、ここ二年ぐらい全然。もう諦《あきら》めてるんです。仕方ないと思ってるんです。子供はタクジ一人だと思ってるんです。あんまり彼女が申し訳なさそうに言うものだからサエコは逆に結婚が許されないんじゃないかとびくびくした。私は三回留年を繰り返し、まともな就職すらできなかった女ですよお義母《かあ》さん、と事実を口にして立場をとんとんにしたいくらいだった。しかしその話はそこで終った。結婚式の日まで、いや結婚した後もその姉の話は二度と話題になることがなかった。

「立花実夏子です、よろしくお願いします」女はいったん言葉を切り、しばらく考えて、「突然来てしまってごめんなさい。あのあたし、タクちゃん結婚してるって知らなくて。ずっと家を空けていたものだから」

サエコがコーヒーを差し出すと、女はサエコを上目遣いに見ておどおどと言う。

「去年の秋に結婚したんです。お会いするの、初めてですね」

「そうですね」

実夏子は髪で顔を隠すようにうつむき、爪をいじりながら、あの、あの、と小さくつぶやいている。

「あの、どうぞお洗濯の続き、なさってて下さい」

「いいんですよそんな」

サエコはそう言って笑いタクジを見たが、タクジは何も言わず実夏子の見つめる爪の先を一緒に眺めている。何を話していいかわからなかったので、じゃあああの、と言ってサエコはベランダに戻った。洗濯物を干しながら、サエコはちらちらと部屋の中を覗《のぞ》いた。女は椅子に膝《ひざ》を立て、タクジと話し始めた。彼等は不思議な話し方をした。部屋に彼等以外だれもいないのに、不自然なくらい顔を近づけあって話している。まるで小さな宝物を二人で見つめて意見しあっているようだ。二人の中間に置かれた女の掌《てのひら》に、絵がびっしり描いてある米粒でものっているんだろうかとサエコは身を乗り出したが、もちろんそんなものはなく、実夏子の白い手が見えただけだった。

洗濯物をすべて干してしまっても、部屋の中に戻るのには気が引けた。サエコはベランダの柵《さく》にもたれて、四角い駐車場を見下ろし、可能なかぎり車のナンバーを読み上げた。

姉は夕方になっても帰らなかった。サエコは夕飯の支度を始めた。タクジと彼女は隣り合って坐《すわ》り、テレビを見ている。

夕食の用意がととのって、ご飯ですと三度ばかりどなると、彼等はようやく振り返り、席につく。

「ご飯まで頂いちゃってすみません」

さっきよりいくらか緊張をほぐした様子で実夏子は箸《はし》を持つ。

「お口に合うかわかりませんけど」サエコは言って、彼等が米粒雑談を始める前にべらべらとしゃべりだした。「新婚旅行、ハワイに行ったんです、あっちの人みんな日本語がしゃべれるから、何だか拍子抜けしちゃった。ね？　あ、ビデオ撮ってきたんで、もしよろしければ後でお見せします、って言ってももうずいぶん前の話ねえ。旅行に行くからってビデオ買ったんだけど、それきり使ってなくって。ね？　タクジさん飛行機乗るの初めてだって、成田からカメラ回したかったんだけど、説明書無くしちゃって、大変だったんですよ。ね？　まだ一年しかたってないけど、何だか懐かしい、だってあれ以来旅行なんて行けないものね。ね？」

サエコはにこやかに語り、一々タクジに相槌《あいづち》を求めた。タクジは一つ一つに無言でうなずく。料理を照らす蛍光灯の下に、サエコの声だけがきんきんと響いた。

「ハワイですか。暑いんでしょうね」しばらくして実夏子が言う。

「ええすごく。私血圧が低くて、何度も具合悪くなっちゃって。ね？　なのにタクジさんたら、自分がそういうのわからないものだから怒っちゃって。ね？　そうよね？」

「海、綺麗《きれい》なんでしょうね」また少し間を置いて実夏子が言う。

「もう綺麗なのなんの。私は泳げないから、あまり遠くへ行けなかったんですけど、ね？でもタクジさんはずいぶん遠くまで行ってたわよねえ？　ねぇタクジったらどうしたの、黙っちゃって」

「いいところだったよ」

タクジはそれだけ言って黙り、箸を動かしている。沈黙がしばらく続き、サエコは話題を考えた。

「私、子供ができたんです」

何も言わず、実夏子は顔を上げた。

「子供」タクジが言った。「来年の夏に生れるんだ」

「もう三か月なんです、ね？　つわりもそんなにひどくなくって、安心してるんです。よく漫画であったでしょう、うって口押えて洗面所に走りこむような、あんなんじゃないんです。時々オエッとなるくらいで」

サエコはそこで間をあけて、実夏子の反応を待った。実夏子はビールの瓶にびっしりついた水滴を指でなぞっていたが、

「気持ち悪い」

と言った。

「え？」

「妊娠なんて、すごく気味が悪い。よくシステムがわからないし、理屈はわかるけど何か変じゃない。不思議に思ってたんだけど妊娠した人って何の疑問もなく当然って顔で母親みたいになっていったりしますよね、もちろん不安とかいろいろあるんだろうけど、あたしが思うのはもっと基本的な疑問」

急に長い文章を話し始めた実夏子をサエコは驚いて眺めた。しゃべり続ける実夏子の口から食べ物が皿に飛ぶ。彼女の言っていることがサエコの頭に届くのと、彼女がぽかんとしたサエコを見て急いで口を閉ざすのと、ほぼ同時だった。サエコは急に箸を放り投げて泣き出したくなった。妊娠を告げて気味が悪いと言われたのは初めてだった。だれが悪いわけでもないけれど、夏からずっと毎日毎日体調が悪く、酒を飲んでも吐かなかった自分が時々ひどく惨めな気持ちで吐き、タクジと口論をしてもセックスは怖くてできず、これがあと二か月くらい続くかと思っただけでげんなりとしてしまうのに、それで褒めてもらおうとは思わないがよりによって気味が悪いなんて。サエコは助けを求めるようにタクジを見たが、タクジは何も聞かないような顔をして口を動かしている。この人と結婚したのは間違っていたのだろうかと一瞬真剣に考えるほどの無関心ぶりだった。サエコは胃の中がざわざわし始めるのを感じ、席を立った。

「煙草買って来てあげる」

タクジの後ろ姿にそう言い残し、部屋を出た。暗闇の中で薄い空気を吸いこんで、自動販売機まで歩いた。セブンスターと、自分用のラッキーストライクを買って、公園で一本吸った。まだぺたんこのおなかに手を当てて、心の中でごめんねと謝ってみる。ブランコに腰掛け、実夏子のことを思い浮かべた。突然嫌な予感が闇に紛れてずっとサエコを取り囲み、再び気持ちが悪くなった。ピンクの象の裏でしゃがみこんで、サエコはゲエと声に出した。透明な唾《つば》が何滴か滴り落ち、地面に吸いこまれて黒い染みを作った。

アパートに戻ってドアを開けたとき、サエコは一瞬居心地の悪さを感じた。タクジと実夏子が汚れた皿を前に話していて、サエコを見てお帰りと言い、顔を寄せ合ってまた話を続ける。何だか部屋を間違えて他人の生活に入りこんだみたいだった。タクジが夫で、実夏子が妻で、子供は実夏子の中にいる。自分はまだふらふらと居場所の定まらない大学生であるような気持ちが、ほんの一瞬よぎっていった。サエコはドアを閉め、慌てて部屋の中を見回す。カーテンやテーブルクロスや食器棚の中身を確認する。それらはきちんとサエコの思う位置に納まり、サエコをほっとさせる。

ものすごく嫌な夢を見た。身体を起こしたとたんにサエコは具体的な内容を忘れたが、気分がずっしり沈みこむような嫌な夢だった。ひどく暑い。身体が重く、脳味噌《みそ》がぱんぱんに膨らんで、鼻血が吹き出そうな感覚。また夏に逆戻りしたような感じ、額に手を当てて考えこむと、指の先にねっとりと汗が伝った。

ふらふらと立ち上がると和室の暗闇にオレンジ色の小さな光が点滅している。つけた覚えがないのにエアコンがからからと音をたてて生温かい風を送りだしていた。サエコはとめようと隣の部屋に行く。白い布団の中に実夏子はいなかった。そっとキッチンを覗くと、洗面所から細い光が漏れている。サエコは目を凝らして時計の文字盤を見、キッチンから洗面所をうかがった。鏡に向き合って実夏子は懸命に化粧をしている。サエコは慌てて寝室に戻り、目をつぶった。真夜中の三時に実夏子が化粧をする理由を考えてみたが、何も思い浮かばなかった。

暖房をつけっ放しにしておくと空気が乾燥するし身体によくないと思うから止めてよね、と、朝食の席でサエコは言った。おれ知らないよ、とタクジはにこやかに答える。タクジは朝が一番元気がいい。サエコはタクジから視線をそらし、タクジの隣に青白い顔で坐っている実夏子を見た。彼女の顔に化粧の跡はなく、サエコの薄いピンクのガウンをはおり、味噌汁・鮭・生卵が描く三角形の真ん中に視線を投げ出している。サエコは何も言わず、味噌汁・鮭・生卵の真ん中を一緒に覗《のぞ》きこんだ。

彼女たちが何もない一点をにらみつけている間に、タクジは「元気出せよ」と解釈不可能な台詞《せりふ》を吐いてサエコの背中を叩《たた》き、トイレに行き、歯を磨き、新聞を持って出ていった。扉が閉まる音に顔を上げたサエコは急いで立ち上がり、玄関にどなるように言った。

「今日は何時に帰るの」

返事は返ってこなかった。

食器を片付け、すべて洗い終えても実夏子はまだ青白い顔でテーブルについている。さっきと同じあたりに視線を置いたままである。

「眠かったらどうぞお休みになって下さい」

サエコは言った。

「大丈夫です。あたし低血圧で、朝がちょっと」

消え入るような声で実夏子は答えた。

規則正しい生活、と心の中でつぶやき、サエコは時計を見上げトイレに行き、実夏子の皿にラップを掛けた。サエコはそっと実夏子を盗み見た。さっきと同じ何もない点を見つめている。サエコは構わずコーヒーをいれ、着替えてから奥の部屋でテレビをつけた。ワイドショーにチャンネルを合わせず、子供番組を見、真新しい「初めての妊娠と出産」をぱらぱらとめくった。気が付いたら眠りこんでいて、目覚えたサエコは急いでテレビを消して立ち上がる。

コーヒーカップを持ってキッチンに行くと、実夏子はいない。そっとあたりを見回し、洗面所に実夏子の後ろ姿を見つけた。実夏子は鏡の前でじっと立っていた。何かいけないものを見てしまったような気がして、サエコは急いで奥の部屋に戻り、実夏子の布団をベランダに干した。雑草の生えた駐車場をまばらに埋める車のナンバーをゆっくり二回読み上げ、煙草を吸った。ごめんね、おかあさんはよんどころない事情があって煙草が吸いたいんだよと、心の中で言った。意を決してもう一度洗面所を覗きに行く。すると実夏子はさっきとまったく同じ姿勢のまま、ぼうっと鏡を眺めて立ち尽くしている。ラップの下で鮭や生卵がてらてらと光っていた。

サエコは買い物の帰り、駅でタクシを待ち伏せた。東急ストアのビニール袋を持ったまま二時間近く改札に立ち、ようやくタクジを捕まえ近所の喫茶店に引っ張りこんだ。

「あの人一体どうしたの、ずっといなかったのにどうして急に現われたの、ねえいつまで家にいるの、ずっといるわけじゃないよねえ？　タクジ仲いいみたいだけどあの人タクジとはずっと連絡取ってたの、ご両親には何も言わなかったのに？　それにさあ、昨日のあの台詞は何なの、神経疑っちゃうよ、私は子供がいるんだよ？　何で気味悪いとか言われなきゃなんないの?」

ウエイトレスがコーヒーを運んでくるとサエコは勢いよくしゃべった。タクジはスプーンでコーヒーをゆっくりとかき回しながら、表情を変えずに答えた。

「すぐ出てくと思うけど」

「思うけどって? いつまでいるかちゃんと決まってないってこと?」

「うん」

「うんって」

「だって本人に聞けないだろ、いつ出てくのかなんて。別に迷惑じゃないんだし」

「ねえどうして急に来たの? 何かあったの」

「あんまり言わないんだよね、そういうこと」

「あの日来るって知ってたの」

「知らなかったよ」

「大丈夫なの、そんなんで?」

「大丈夫って、何がさ? まあ、詳しいことはこれからゆっくり聞いていくよ。別に大したことはないと思うけど」

サエコは上目遣いにタクジを見、爪を噛《か》んだ。

「あんたたち変なふうに話し合ってるけど、あれ一体何話してんの」

「変なふうにって？」

「こんなふうに、私に聞こえないように」

そう言ってサエコはぐっと顔をタクジに近付けた。

「何かひがみっぽくなってない？　あれ、あの人の癖。知らない人がいたりするとよくあやって話すんだ」

「お義母さんに連絡してあげたらどう」

「ねえさんだって家に帰れないからうち来たんだろうし、聞いただろう？　おふくろはもう娘じゃないって思ってるんだぜ。あの人の家族はもうおれ一人だと思うんだよね」

一通り聞いてみたものの、思うような成果が得られなかったサエコは次の言葉を捜しコーヒーをすすった。タクジの言葉は、いつも彼が言うような「人間はさ」みたいな、どこかとらえどころのないふわふわしたものに思え、聞いていると実はあの女はタクジの姉ではないような気もしてくるのだった。

「あの人本当にあなたのおねえさん？」

サエコは思い切って聞いてみた。

「姉貴じゃなかったらだれなのさ。気持ち悪いこと言うなよ」

その台詞にサエコはむっとして、一気にしゃべった。

「あの人、ちょっと変わってない？　今日二人っきりでいたじゃない、何もしゃべってくれないし。コーヒーの場所とか、ポットの使い方とか、全部教えて、冷蔵庫の中のものも好きにしていいって言ったんだけど、何も食べないし、何も飲まないの」

「ねえさんはね、極端な人見知りなんだよ。いつも緊張してるみたいでさ、それで時々ちんぷんかんぷんなこと言うんだよ、そういう人なんだよ」

「見てたらね、二時間も洗面所に立ってたよ」

「確かにちょっと変わってるとこあるよ」

「私無視されてるみたい」

「無視って、あんたたち一体いくつなのさ」

「あの人の歳なんて知らない」

「もう三十すぎてるよ」そう言って、しばらくしてタクジは付け加えた。「昔から変わってるんだ、あの人。気にしなくていいよ。サエコは普通にしてれば」

タクジはレシートをつかんで立ち上がった。サエコも急いで後を追った。

「ちょっと、家族思いもいいけど、忘れないでよね、私には子供がいるってこと」

「悪いと思ってるよ。でも君にとっても家族なんだよ、あの人は」

サエコに背中を向けたままタクジは言った。サエコはポケットに手を突っこみ、いらいらしていたおかげで見せ損ねた新しい母子手帳をそっと撫《な》でた。サエコの足元でビニール袋がこそこそと鳴った。

「お帰りなさい」

帰ってきた二人を迎えたのは、まるでもともと家族の一員であったような実夏子の笑顔だった。サエコは一瞬身体がこわばるのを感じる。実夏子は今朝の瀕死《ひんし》の状態ではなく、片手で煙草をはさみ、今日の晩ご飯は何ですかとサエコに付いて回る。サエコは上着を脱ぎに奥の部屋に入って思わず、あ、と声を出した。サエコが買い物に行ってタクジと喫茶店にいる数時間の間に何があったのか、そこには「実夏子の一角」ができ上がっていた。カーテンレールには何着か服が掛かり、カーテンの裾《すそ》には見事に古ぼけたぬいぐるみがきちんと並んでいる。サエコは声を上げたその口を開いたまま、思わずぬいぐるみの数を数えた。十八体あった。サエコは勢いよくタクジを振り返ったが、彼はいつもと変わらず上着を脱ぎネクタイを外し、

「飯の支度、手伝おうか」

と言っただけだった。

サエコは窓の外の暗闇にぼうっと光る干しっ放しの布団を見つめ、

「布団、入れて」

と言った。声と一緒に喉《のど》の奥から力がぐんと抜けていくようだった。

夕食の席に坐《すわ》った実夏子はいやにはしゃいでいた。昨日みたいにうつむきもせず、あの、あの、とくりかえすこともなく、幼なじみのようにサエコに話しかけてくる。ああおなかすいたと言い、ひゃっほう、ハマチだ、とも言った。

「食べないんですか？」

箸《はし》を動かさないサエコを実夏子が覗《のぞ》きこむ。

「なんか食欲なくて。もう少ししたら食べられると思います」

タクジはテレビの野球中継に見入り、あっ、とか、何やってんの、とか時折つぶやいた。

「やあねえ男って。こういうのにすぐ夢中になっちゃって、自分が監督になったみたいにぶつぶつ言ったりするのよね、テレビ見て箸動かして、料理の味わかるのかしらね」

実夏子はそう言ってまたサエコの顔を覗きこむ。

「こんなにおいしいのに」

その台詞《せりふ》は何だかひらべったく聞こえ、プラスチックの匂いがするような気がした。その匂いにつられて高校のとき一緒だったマミコちゃんを思い出した。彼女は笑顔の美しい子で、テスト前にはどうしよう勉強してないのお、と言い、テストの後にはサエちゃんなんてあたしに比べたら全然平気よう、と言った。記憶の奥からなぜか彼女がぽんと飛び出してきて、食卓の隅で笑っていた。

その日実夏子とタクジはあまり話さなかった。二人が額を寄せないことにサエコは少し安心した。タクジがテレビを見、実夏子がサエコに話しかけ、そうやって二人が会話をせず別の方向を向いていると、彼等はなぜかきょうだいらしく見える。

「実夏子さん、ぬいぐるみたくさん持ってるんですね」

「ええ。捨てられない性分なの。全部名前が付いてるのよ」

「なんていうんですか」

「秘密」

実夏子はそう言ってにたにたと笑った。胸のでかい子供みたいな、どこかアンバランスな笑顔だった。きれいな顔だとサエコは初めて思った。つい気をよくしたサエコは、

「実夏子さんはいつまでいらっしゃるんですか」

と何気なく聞いた。笑顔はすっと顔の奥に消えてゆき、一瞬サエコを緊張させたが、実夏子はもう一度笑顔を作った。

「ごめんなさいね、突然来て泊まったりして。もしよければ、あと三日くらいいさせてくれないかしら」

「ごめんなさい、そんな意味じゃなかったんです」

「いいの。悪いと思ってるんだもの」

「まあ、身内なんだし、家族なんだから遠慮することもないよ」

いつの間にか視線を戻したタクジが言った。

「そうですよ」

サエコも同意したが、そのときは何だか本当にそんな気持ちになっていた。

その夜は三人で、タクジが大学時代にやったライブのビデオを見た。実夏子は必要以上に笑い、背中をのけぞらせて何度か椅子から転げ落ちた。サエコもすっかり楽しくなり、べらべらと解説をした。

「このときはタクジさんが四年生で、私三年だったんです。同じサークルだったんですよ、付き合い始めたのは卒業してからだけど。ね？ ちょっと見て、この頭。信じられますアフロですよ、でも髪にコシがないから歌ってると汗かいてだんだんパンチみたいになっちゃうのよね。ね？ 私怖い人だなあって、ずっと無視してたんだもの」

タクジも笑い、実夏子も笑った。一人っ子のサエコは、両親のいない夜に夜更ししているきょうだいってこんなふうだろうかとちらりと思う。

「これはハードロックなの？ パンクなの？ ねえこの衣装は一体なんなの？ どこで売

ってんのこんなの？　このテンションは何？　あんた体内に何か注入してるの？」

実夏子はサエコの腕をつかんでげらげらと笑う。彼女の掌《てのひら》の温かさが、何も言わずにサエコの子供を祝福しているようにすら思えた。

みんなが寝静まってからサエコは空腹を感じて起きた。そうっとキッチンに行き、冷蔵庫を開けてハマチを出す。白いご飯にラップをして電子レンジにかける。静まり返った部屋の中に坐っていると満ち足りた気分を感じた。レンジが切れる間、食器棚の中の配列やぴかぴか光る流し台、テーブルクロスの垂れ具合、壁に貼られたポストカードを一通り眺め回し、いいぞ、と思う。

ラップをはがし流れ出る湯気に、サエコは顔を覆った。とても嫌な匂いがした。裏切られたような気がして、もう一度茶碗《ちゃわん》にそっと鼻を近付ける。サエコはそのまま白い飯を流しに捨てた。仕方なくハマチだけ食べた。噛《か》みしめるとハマチは鼻の奥で鈍い鋼鉄の味がした。冷蔵庫を開けたがほかにすぐ食べられそうなものがない。サエコは仕方なく鋼鉄ハマチを食べた。静まり返ったキッチンで、自分の噛む音を耳の裏に感じていると、ひどく悲しい気分になった。今日は嫌な夢を見ませんようにと心の中で何度も思う。

目覚めてキッチンに行くと、奇妙な匂いが漂っている。サエコはまだ薄暗いキッチンに立ち、鼻をひくひくさせた。何か酸っぱいような、こもった匂いがする。この匂いはどこかで嗅《か》いだことがあるとサエコは思う。しかしそれは思い出してはいけないもののような気がして、何も考えず窓を開け放つ。気分が悪くなり洗面所に行って口をゆすいだ。リノリウムの上に細かい髪の毛がたくさん落ちている。茶色い細い髪の毛だった。サエコはトイレに行き、吐いた。自動的に惨めな気持ちになる。

タクジを送り出し、真っ青な実夏子と向き合って一人お茶を飲み、食器を洗い、時計を見てトイレに入る。サエコは実夏子が来てからの日にちを数えた。ちょうど三日目だったが、実夏子に帰る気配はない。

トイレから出るとキッチンがふわふわと歪《ゆが》んで見えた。サエコはその場にしゃがみこみ、「ちょっとォ」と思わずつぶやいた。こんな規則正しい生活をしているのに、体調はどんどん悪くなる。サエコはじっと動かない実夏子を通り過ぎて寝室へ行った。

夏の間、長時間表にいるとよくこんなふうになるんだ、とサエコは思った。頭がぼうっとしてきて、自分がまるで関取になったように身体が重くて、空気がびしゃびしゃのビニールみたいに皮膚にまとわりついて、頭の奥が痛みだす。そして現実がだんだん遠のいていき、景色がゆっくり歪み、霞《かす》み始める。水彩で描かれた抽象画みたいな風景の中に、等間隔に黒い小さな点が現われ、次第にそれらが膨らみ始める。等間隔の黒いボールが目の前にびっしり並ぶ。それらは膨張し続け次の瞬間パン、と破裂し視界を黒く染め上げる。真っ暗になってしまえばそれで楽だった。次に目を開けると現実はちゃんと元通りのしっかりした線を持って戻ってきていた。それは見慣れない駅長室だったり、日のあたらないホームのベンチだったり、どこかの病室だったりしたが、その嗅いだことのない匂いや慣れない日の差しこみ具合の中にいてさえ、あの薄まった現実よりはずっと身近でサエコをほっとさせた。

サエコはずっとあの黒い点々が現われるのを無意識のうちに待っていた。鈍い痛みの中から黒い点が現われ膨れていき、サエコの視界を真っ黒に染めるのを。そうすれば目を開けて戻ることができるのだ。しかし黒い点々は一向にやって来そうになかった。キッチンのテーブルでじっと一枚のポストカードを見つめている実夏子に、

「少し休みます」

と声をかけ、サエコはベッドに潜りこんだ。うん、と答える声が遠くで聞こえた。横になるといくぶん楽になった。柔らかい日差しが斜めに差しこみ、ベッドの裾《すそ》とじゅうたんをつなげるように照らしている。ふわふわと柔らかい眠りの莢《さや》がすぐサエコを包み始める。眠りに落ちるまでのその時間は身体のつらさも遠くへ行っていた。あのとき部屋を片付けておいてよかった、少しずつでも乱れてきてはいるが、それでも気分が落ち着く程度には

あのとき感じた完璧《かんぺき》さを保っている。半分開いた瞼《まぶた》で部屋を見回し、サエコは確認する。急に電話が鳴り、サエコを包む莢をぴりぴりと引っ掻《か》くが、起きる気にはなれなかった。実夏子が出てくれるだろうと思うが、コールは止まない。

実夏子にはこの甲高い音が聞こえないのだろうか、とサエコは思ってみる。彼女が一日何をしているのかサエコにはまるでわからない。長く生きすぎた犬みたいに、じっと鏡を見つめていたりテーブルに坐《すわ》っていたりぬいぐるみを眺めていたりするだけなのだ。お茶をいれるとか皿を洗うとか、CDを聞くとか本を広げるとか、目的のありそうなことは何もしない。この部屋にいるようないないような、まったく別の空間で動いているような、そんな気もした。昔父親が間違えて手のりではないインコを買ってきたことがあったが、実夏子はそのインコみたいだった。ばたばたと飛び回り、止まり木でじっと空を見つめ、ある日ぶうっと羽をふくらませ続け、ぽとりと止まり木から落ちた。

柔らかい莢が完全にサエコを包み、サエコはうとうとと眠った。次に目を開けたとき、窓から差しこむ光の位置が少し上にずれていた。サエコはゆっくりあたりを見回した。細く開けた窓から冷たい風が流れ込み、レースのカーテンがきらきら光って揺れている。隣の部屋に白い布団が敷いたままになっている。そこに薄い影が映っている。だれかがいる。だれだろうと、サエコは頭をそっとずらす。髪の毛と枕が触れ合うさらさらした音が耳の傍で聞こえる。窓辺に並んだぬいぐるみの真ん中に実夏子が坐って、じっとベランダの外を眺めていた。ああそうだ、おねえさんがいるんだった。実夏子が眺めるガラスの向こうには駐車場があり、一軒家があり、その向こうに青空が広がっていた。光の中で実夏子もぬいぐるみも白く光ってのっぺりとして見えた。サエコははっきりしない頭でもう一度順番にぬいぐるみを数えてみた。タヌキ、クマ（茶）、クマ（白）、ネコ、カメ、イヌ、ミッキーマウス、ウサギ、実夏子、サル、……また次第に瞼が下りてきて、明りがフェイドアウトするようにサエコは眠りに落ちた。実夏子が近くに来て覗《のぞ》きこんでいるような気がしたが、サエコは瞼を開けなかった。つらいの？　と頭のすぐ上で彼女はささやいた。夢の中みたいににじんだ声だった。いろんな声が聞こえた。子供なんか作らなきゃよかったね。いらなくなったらどうするの。小さな脳味噌《みそ》はいつから一人で考え始めるのかしら。

コドモ、とサエコはうとうとする中でつぶやいた。懐かしい響きがした。こんなことが以前にもあった。あれはいつだったっけ。二十歳を過ぎた頃。大学に通っていた頃。遅れたことのない生理が遅れて、一人どきどきしていたんだ。あのときは宇宙なんて思いつきもしなかったし、うれしいなんて感情も一かけらもなかった。あの頃は多くのクラスメイトと違うのが、クラスメイトたちから一人離れていくのが得意でしようがなかったけれど、妊娠は反則だと思った。それはいきすぎだった。仲のよかったクラスメイト、名前は何だつけ、トモコじゃなくて、そうじゅんちゃん――彼女にばったり会って、つい打ち明けたんだった。じゅんちゃんは途中まで聞くと両手で耳を塞《ふさ》いで、やめてやめてコワイって言っていた。爪の色が薄いピンクで、色の白いじゅんちゃんにとてもよく似合っていて、何がコワイだカマトト野郎と思いながらもつい見とれてしまった。じゅんちゃんの耳には何重にも重なった金色のリングが揺れていて、ぺかぺかと手の中で光っていた。

金のリングが揺れて擦れあう音にサエコは目を開けた。はらはらと頭の中に落ちてくるイメージがあまりにも鮮明で、今の光景がただの思い出なのか夢なのか区別がつかず、呆《ぼう》然《ぜん》とした。サエコはゆっくり立ち上がり、隣の部屋を覗いた。さっきと同じ体勢で実夏子は煙草をくわえ、暮れ始めた空を眺めている。

長く眠ったせいで、頭の奥がきーんとかすかに鳴っている。サエコはぬいぐるみを数えた。ニワトリ、イヌ、クマ（白）、タヌキ、パンダ、ヒツジ、ミッキーマウス、次第にサエコは集中して動物の名前を心の中で読み上げ始める。かなたに押し遣《や》っていたぼやけた記憶がどんどん色濃くなっていくのをそうして必死で押しとめた。じゅんちゃんのマニキュアの色、そのとき彼女が着ていた服のデザイン、ストッキングの色、はめていた指輪、一つがずるずるとほかの細部を呼び起こす。それらは動物の名前の間をかい潜って入りこむ。生理が来たときのあの安心感も、そのとき時計が指していた数字も、開いていた雑誌が特集していた記事も、ナプキンの銘柄も。クマ（茶）、カメ、ネコ、実夏子、ウサギ……。ぬいぐるみの位置がさっきと違う。実夏子は一体何をしているのだろう。

「煙草、少しやめてもらえますか」

サエコは言った。実夏子は振り向きにっこりと口を広げて笑った。

「ごめんなさい」

ガラス戸を開け、ベランダに煙を吐きだす。

サエコはもう一度ベッドに入った。生温かいシーツがサエコをくるむ。

次にサエコが目覚めたときは、あたりは真っ暗だった。隣にタクジが眠っていた。タクジという夫がいて、自分が妻であることが何だか嘘みたいに思えて、サエコはタクジをじっと覗きこんだ。ひどくおなかがすいていた。サエコはベッドから起き上がる。音を立てないようにドアを開け、ノブを持った手をふと止める。

暗闇の中に人影がある。サエコは細い透き間に顔を当て、じっと目を凝らした。窓を照らす月明りで、実夏子の横顔が見えた。同じリズムで動き続ける顎《あご》が見えた。実夏子は両手で何かを覆うように持ち、それを絶え間なく齧《かじ》っている。サエコは息をひそめて唾液《だえき》を呑《の》みこんだ。その音がいやに大きく響く。実夏子は姿勢を崩さずただ食べ続けている。静まり返った闇の中から、実夏子の咀嚼《そしやく》する音がもれずに耳に届いた。明りをつけてキッチンに入っていくことがどうしてもできず、サエコは足音を忍ばせてもう一度タクジの横に滑りこんだ。もしゃもしゃもしゃもしゃという音が、冷たいキッチンの床を滑りサエコの身体を這《は》い上がって、耳にねじこまれてくるようだった。サエコは固く目をつぶり、羊を数えるように並んだぬいぐるみを順に思い出していった。

「昨日具合悪かったんだってね、ピザとって食べたんだよ。医者行かなくていいのか？もう治った？」

翌朝爽《さわ》やかな笑顔でタクジが言った。

「お医者さんは行く日が決まってるもの。それに病気じゃないし」

サエコは答えながら、真っ青な顔でテーブルに坐る実夏子を見た。

「実夏子さん、私だって昨日あんなにぐうぐう寝てたんだから、朝寝てもいいんですよ。私も低血圧気味だから、朝がつらいのわかるし」

サエコはタクジの視線を感じながら実夏子に話しかけた。

「いいの、確かにつらいけど、身体がつらいだけで、布団の中に入ってても頭が冴《さ》えちゃうの」

実夏子は白い顔を上げ、紫がかってさえいる唇をかすかに開いて笑った。サエコは何だかほっとした。朝一番に冷蔵庫を調べて、彼女が食べていたのは塊のハムらしいと判明したのだが、昨日暗闇の中で実夏子がそのハムを両手で包み塊のままむさぼるように食べていたのは何かの見間違いかもしれないと思ってみた。あるいは自分のように夜中おなかがすいて目が覚めて、たまたま電気をつけるのを忘れていたのだ。

「サエコ、明日もし気分がよかったら、三人で映画でも見に行かない？　体調悪いんだったら気を紛らわしたほうがいいだろ」

いつもより機嫌よくそう言うとタクジは出ていった。

皿を洗っていると昨日より気分はいいように思えた。午前中の間本を広げてサエコはちらちらとキッチンに坐ったままの実夏子を見た。十二時を過ぎる頃実夏子はふらりと立ち上がり、それを見たサエコはぎくりとして慌ててアドレス帳をめくり始めた。学校を出てからも比較的仲のよかった、昼間も家にいる友人を選び出し、急いで番号を押す。実夏子はゆらゆらと影みたいに洗面所に消えていった。

「ふらふら出歩いて平気なの、子供できたんでしょ」

迎えに出たトモコはまずそう言った。実に久し振りにまともな言葉が聞けたような気がして、

「平気平気、この時間は電車もすいてるし、まだ暖かいし、気持ちいいくらいだったよ」

と答えながら鼻の奥がつんとしてくるのを感じる。トモコはポットを持ったままサエコのまわりをぐるぐると回り、

「全然わかんないのねえ」

と感心している。

「だってまだ七週目だもん、わかるわけないよお。でもね、もう脳味噌も、心臓も、目もあるんだよ」

「へえ、神秘って感じだねえ」

「そう！　そう思うでしょ、来週ぐらいに赤ちゃんの写真撮ってくれるの、超音波写真。ね、そしたら見せに来るね」

サエコは自分が今まで人気のない山奥で狼たちと暮していたような気になり、ああ人に会えてよかったと大袈裟《おおげさ》に思った。

「トモコは子供つくんないの」

「うん、あのね、戌《いぬ》年の子にしようって言ってんの」

「へええ。ねえ妊娠したらさ、いろいろ変わるでしょ、気分とか、食べ物の趣味とか」

「私はしたことないからわからないけど、そう言うわねえ」

「あの、記憶がよみがえってきたりもするのかな、すごく細かいこと思い出したり」

「さあねえ。そんなの聞いたことないわ」トモコはそう言って少し考え、話題を変えた。

「タクジさん元気」

うん、とうなずいてからサエコは心の中がぐらぐらと煮立ったようになり、今の状況をいっぺんに話した。先週の日曜日に実夏子が来たことから、タクジがまったく頼りにならないことから、実夏子がどんな女なのか、それからずっと体調がよくないことも付け加えた。トモコはお茶をいれるきっかけを失い、ポットを片手に持ったままサエコの正面に坐《すわ》って話を聞いている。

「タクジさんって、サークルにいたときはしっかりしてそうだったのにねえ、今思えば奇妙なバンドやってたけど、私が二年の頃部長もやってたんだよ、サエコが入ってくる前だね、それにちゃんと就職もしたし」

「そう思って、私もそう思って結婚したのに、全然違うの、特におねえさんが来てから私とは全然しゃべらないし。なんか二人変でね、何だか変な関係みたいなふうにも見える、もちろんそんなことはないのはわかってるんだけどね、いつも一緒にいるんだから」

サエコはしゃべりながら、考えないようにしてきたが、自分が実夏子のことをどんなふうに思っていたのかを一々確認した。

「あのねえ」トモコはポットを両手に抱え、身を乗り出してささやいた。「タクジさんの同期で、たまえさんていたの覚えてるかなあ。噂で聞いた話なんだけど、あの人ね、やっぱり妊娠したとたん旦那《だんな》が長期出張で外国行っちゃって、ずっと一人で暮してたんだって。その間すごく不安で不安でたまらなくて、結局旦那はお産のときには帰ってきてたのね、そしたらさ、生れた子供、しゃべれないんだって。もう四歳くらいになるらしいけど、全然言葉しゃべれないんだって。だからさ、あんまり考えて不安になったりしないほうがいいみたいよ。そうやってると、酸素がおなかの子供に届かないってだれか言ってた」

サエコは目を見開いてトモコを見た。サエコが黙ったのでトモコは素早くお茶をいれる。油が飛んだガス台や真新しいオーブンレンジやぴかぴか光るステンレスのやかんや、隅にまとめてある新聞や雑誌、いろんなものがいっぺんにサエコの目に飛びこんできた。

「どうしよう」サエコは目の前に差し出された琥珀《こはく》色の液体を見つめてつぶやいた。自分の顔がふるふる揺れて映っている。「どうしよう、しゃべれない子が生れてきたらどうしよう。しゃべれても、どっか変な子が生れちゃったらどうしよう」

「だからね、そうやって考えるんじゃなくて、もっとおおらかに構えてさ」

サエコの腕をつかんでトモコが言う。分厚い布きれの上から触られているようだった。

「おおらかにしようって思ってるんだけど、あの人絶対変だし、あの人のせいで子供が変になったらどうしよう」

サエコは言葉を続けようとしたが、急に涙があふれてきてぽろぽろと零《こぼ》れていった。びっくりして覗《のぞ》きこむトモコも見えたし、泣くほどのことじゃないとわかってもいた。なのに胸の奥がどきどきし、それと呼応するように涙は流れ続けた。しばらくトモコはおろおろしてサエコを見ていたが、

「今度クラスの同窓会があるらしいよ、喜美ちゃんから電話が来たの。ねえ一緒に行こうね、サエちゃん全然接触持とうとしないから知らないでしょ、タエは大学院行ってそのまま研究室入ったの、ねえ信じられる？　青山君ていたじゃない、あの人とまだ続いてるんだって。渡利は男に捨てられたって大騒ぎしてたみたいでさ、変わんないよね、みんな。そうだサエちゃんに子供できたなんて言ったら、みんなびっくりするよ」

冷蔵庫からシュークリームやカステラを出し、明るい声でトモコは話し続ける。名前を羅列されてもほとんど顔が思い浮かばず、サエコは何だか自分一人かつてのクラスメイトからはみ出しているみたいで、ますます悲しくなって涙が流れてくる。紅茶が涙の粒を受けて揺れている。みんなより三年も遅れて卒業したのだ、はみ出すのは当たり前だと思い、みんなきっとそうやって情報を回しながら、サエコまたダブってんのと笑っていたに違いないと思い、三回ダブっても結婚できるもんなんだねと彼女らの口振りまでも想像し、涙

は止まらず、サエコはそのひねくれ切った思考回路を我ながらスゴイと思っていた。

「そうそう三年のときにクラスにいたレゲ郎って覚えてる？　ほらみんながレゲエ野郎ってあだ名つけて、略してレゲ郎って呼んでたじゃない」

サエコは顔を上げた。目の前にカステラとシュークリームとおせんべいが並んでいた。

「え、覚えてない」

サエコはどきどきしながら答えた。

「ええー、覚えてないのお、あんなにインパクト強い人だったのに。ほらあ、浮浪者みたいでさ、全然正体不明でふらりとやって来た人いたじゃない。汚くて臭くて。覚えてない？」

覗きこむトモコの目をサエコはそっと見た。試されているような気もした。

「あ、ああ、そういえばいたね、そんな人」

サエコは台詞《せりふ》が空々しくならないようにゆっくりと発音した。

「あの人ね、突然いなくなっちゃったけどいろんなとこで目撃されてるんだよ。一番おかしかったのがさ、青山君の話。こないだの八月、すっごい暑い日があって、真夜中二時過ぎにタクシーで帰ってきたんだって。青山君ちの近所には何とか農園って小さな畑があるらしいんだけど、だれかがね、うずくまってるのが見えたらしいの。しかも丸裸で。よく見たらそれレゲ郎だったって、本人は言うの。あの顔は間違いないって。レゲ郎が畑の真ん中にはいつくばって、生のキャベツ食べてたって言うのよ」

涙は止まり、頬は乾いていた。トモコはげらげらと笑い、サエコが泣き止んだのを見届けて、満足したように続ける。

「あの人何だったんだろうねえ。同窓会みたいにクラスが集まるでしょ、ふっとみんなが黙っちゃう瞬間があって、そんなときは必ずレゲ郎の話。夜の市営プールで浮かんでたとかさ、多摩川で木の枝持って魚捕まえてるの見たとか、みんなでたらめ言うの。それが最近本当に現われたらしいんだよね。まあだれがどこまで本気で言ってるのかは知らないけど。でもチカコが何かの手続きで大学に行ったら見かけたって言ってたし。ねえ何かおかしくない？　私たちがあの男でつながってるみたいでさ」

夕方、日の暮れかけた道をトモコは駅まで送ってきてくれた。その間中ずっと、かつてのクラスメイトの名前を挙げ続け、だれがどうしたこうしたと話していた。サエコは懸命に相槌《あいづち》を打ち、トモコが笑うところで一緒に笑った。改札口で別れるとき、トモコはおおらかにね、と、同窓会行こうね、を繰り返して手を振った。

だんだん混みあっていく車内で席を確保し、サエコは人と人の透き間に見える、ずっと続く低い屋根を眺めていた。

だれかが仕組んで私をおとしめようとしていると、サエコはぼんやり思った。実夏子をうちに送ってよこし、いたずらに疲労と不安感を植えつけ、大学時代のクラスメイトの元へ行くように仕向け、しゃべれない子供の話を聞かされ、おまけに一番思い出したくないことを思い出させようとしている。

あるいはこんなふうに思うのは妊娠の本にあった通り「精神的に不安定になり、少しのことでもいらいらしがちです」だからなのか。普通の状態ならば起こってしかるべきことなのだろうか。

考えていると頭の奥が重みを持って膨らみ始め、鼻血が出そうだった。振り向いて窓を開け、ぐんなりと席に縮こまって坐る。生唾《なまつば》を呑みこんだとたん、身体がまた重くなる。身体のどこか奥のほうで鈍い痛みが始まる。頭の中で膨らんだ部分からしずくが滴るように、押し遣《や》っていた記憶がほろほろと落ちてきそうだ。それに抵抗する気力もなく、サエコはじっと目を閉じてゆっくり呼吸をした。

レゲ郎はサエコが大学三年になったときに突然教室に現われた。人の多い学校だったから、知らない学生はたくさんいた。しかしふらりと入ってきた彼を、その場にいた全学生が振り返って見た。そのときだけ、それまで何の共通点も持たなかったクラスがぱっと一つにまとまったような、奇妙な空気が流れた。

彼は何も気にせず歩いてきて、サエコの前の席に坐《すわ》った。臭かった。サエコは隣に坐った女子学生と顔を見合わせた。彼の風貌《ふうぼう》は限りなく浮浪者に近かった。ただ完全な浮浪者に見えないのは、彼の正しい姿勢と若さのためだった。隣の女子学生は席を立ち二列後ろに下がったが、サエコはそこでじっと彼の後ろ姿を眺めた。彼の着ているトレーナーは何色かの上に何色かが重なり、その工程を何度か繰り返し、はっとさせられるほど濁った味の濃い色だった。両の袖《そで》口は完璧《かんぺき》にほつれ、チューリップの花びらみたいに開いていた。全体から何かこもったような酸っぱいような、サエコにあまり馴染《なじ》みのない匂いが漂っていた。入ってきたときドレッドヘアに見えた彼の髪型は、近くで見ると何本かが束で絡まりあい油っぽいのに光沢がなく、ドレッドとは似て非なる代物だった。

こ汚い若者はどこにでもいる。大学にだって何人かいたし、とっくにお嬢さま路線をやめていたサエコもどちらかといえば汚い部類だった。しかし彼の汚さはまるで違った。威圧感があった。二年間ほとんど一緒の授業を受けてきたにもかかわらず、一向にまとまりを持たなかった四十人近くを、一瞬のうちに一つにしてしまうだけのパワーがあった。パワーに満ちた汚さだった。

事実そのクラスは急速に親しくなった。集まるとだれもが週一回だけ授業に現われる彼のことを口にした。肉体労働者が朝集まる公園で見たとか、新宿駅の構内でアジア系の男と抱き合っていたとか、得意げに情報交換をし合った。だれもが彼の正体を推測していたが、だれも何一つ確実なことは知らなかった。そのうちクラスメイトたちは彼に「レゲエ野郎」とあだ名を付け、次第に「レゲ郎がよお」が挨拶《あいさつ》がわりになっていた。

あの男の持つ不思議な力にだれも気が付かないのだろうかとサエコは一人考えた。どんな噂を聞いても納得させてしまう、あのパワーをなぜだれも問題にしないのか。そしてその頃サエコに最も欠如していたのはパワーだった。

不良をやめてお嬢さんになり、それにも飽きて、というより長続きせず、サークルを変え、そこで知り合った学生と次々に寝、恋人を見つけセーターなど編んでみたりもしたが、半年でふられ（オレ知らなかったよサークル内に兄弟がたくさんいたなんてさ、と彼は言った）、勉学に転向し英会話を始め原書を脇にはさんで歩いたが知力が続かず、今までの記憶をすっぱり捨て去れるような新しい何かを見つけられない時期だった。一人部屋に帰って中古屋で買ってきたロックンロールを聞くだけの日々だった。どこにも行けない、とサエコは思っていた。どこにも行けないしどこにも帰れない、このままみんなと混じり合ってだれかと顔を取り替えてもわからないような女になっていくんだ私は、とボブ・ディランを聞きながら思った。

ぼんやりして駅を乗り過ごし、乗り換えて戻って来たときには日は暮れていた。会社帰りのサラリーマンが何人もサエコと一緒に改札を潜った。商店街の煉瓦《れんが》を踏んで歩き、スーパーの白い白熱灯に顔を上げる。前を歩く後ろ姿のサラリーマンたち全員が、ネクタイをめくり、背広の肩に掛けていた。サエコは立ち止ってその光景を眺めた。暗闇に消えて行くいくつもの背広と、肩にちょこんとのったいろんな色のネクタイ。急に立ち止ったサエコにぶつかり、舌打ちをして追い越して行く男もネクタイをめくりあげている。サエコは急に吐き気がこみあげてくるのを感じ、スーパーの裏に回ってゲエと声を出してみた。黄色っぽい汁がゆっくり舌の上を滑っていった。

玄関を開けた実夏子はサエコを見て、

「真っ青だけど」

と言った。サエコはゆっくり、今見た光景を話した。前を歩いていたサラリーマンが全員同じような色の背広を着て、ネクタイを肩に掛けていたと。それは実に無気味な光景だったと。実夏子はじっとサエコを見つめていたが、真っ赤な口を大きく開けて笑いだした。サエコは彼女のピンク色の喉《のど》に雑巾《ぞうきん》でも突っ込みたい気分だったが、おおらかに、と心の中で十回繰り返した。

ポットやコーヒーの缶
「お茶をいれてもらえますか」

テーブルについてそう言うと、実夏子はいちいちやり方を聞き、ポットやコーヒーの缶ややかんをおそるおそる触り、サエコの前にコーヒーを差し出した。ほら、言えばやってくれるんだ、いい人じゃないかとサエコは心の中で繰り返す。

「私今日とても怖い話聞いたんです」

サエコは実夏子を見据えて、トモコに聞いたしゃべれない子供の話をした。

「へえ」

実夏子はそう言って煙草を口に持って行く。

「だからあの……」サエコは少し考え、言葉を選んだ。「私不安定な時期で、いろんなことにいらいらするかもしれないけれど、よろしくお願いします、あの、いろいろ」

「ええ。わかりました。いろいろ、いらいら」

実夏子はにっと笑って面白そうに言った。横に開いた唇から煙が流れ出て行く。

「殺すわけにいかないものね」

サエコを見たまま付け加える。

「え？」

「変な子供だからって殺すわけにはいかないってこと」

実夏子は表情を変えずに言う。

「食事の時間も私ばらばらにしますけど、気にしないで下さい」

実夏子の言葉が聞こえないふりをしてサエコは言った。そして時計をちらりと見上げ、残り物の冷や飯に卵をかけて一人で食べ始めた。実夏子はそれをにこにこして眺めている。サエコは冷たいご飯から顔を上げて、言った。

「実夏子さんは、いつまでいらっしゃるんですか。お家の方とか、心配しないんですか」

「あたし一人だから」立て膝《ひざ》に顎《あご》をのせ、白い煙を吐きだして実夏子は答える。「三日くらいで来るはずだったんだけど、来ないの。だから待ってるの。ごめんね、あたしだって早く行きたいの」

「待ってるというと」

「うん、バスがね、迎えに来ることになってるから」

「バス」

「そうピンクのバス」実夏子は何か自慢するようにサエコを見下ろして言った。

「へえどうしたんですかねえ」

面倒になったサエコは調子を合わせて食事を続ける。

サエコは明け方レゲエ野郎の夢を見た。丸く切り取られたその場所はジャングルで、その真ん中に彼は素っ裸で立っていた。そして薄汚れた手の中に赤ん坊を抱いていた。あっと思った瞬間、サエコは彼が平中鉄男という名だったことを思い出した。生温かい空気が渦巻く匂いと、鉄男のあの酸っぱい匂いと、一緒にサエコのもとに届いた。どうしよう私の子が臭くなるとサエコは思う。赤ん坊は鉄男の腕の中で、恐怖のためか泣いている。しかし声は聞こえない。甲高い声で鳴く鳥の声は聞こえるのに、赤ん坊の声は聞こえない。赤ん坊はピンクのしわくちゃな顔で、ぽっこり口を開けているだけだ。サエコは飛び起きた。部屋の中はほのかに明るく、タクジは静かに眠っていた。タクジを揺り起こし、サエコは「どうしよう子供が変になっちゃった、変になっちゃったよタクジ」と繰り返した。タクジはのっそりと寝惚《ねぼ》けた顔で起き上がり、大丈夫だよと言ってサエコの背中をさすった。サエコの背中にその感触はまったく感じられなかった。

夢は朝起きてもまだ細部まで頭の中にはりついていた。こびりついた夢を払うように頭を振り、サエコは上半身を起こした。休みのタクジがキッチンで青白い顔の実夏子にコーヒーをいれている。実夏子は弱々しく笑ってタクジに顔を近付け、ささやくように彼等は話す。頭の奥がずんと重かった。サエコは両手で頭を抱えたまま、半分開いたカーテンから空を見上げた。からりと澄んだ空があった。冷たそうな透明な青だった。視線をキッチンに戻すとあたりがちかちか震えた。光の粒子がタクジと実夏子を連れ去って、彼等はどこか遠い場所でささやき、笑っているように見えた。

「大丈夫か、映画、行けそう？」

コーヒーカップを片手にタクジが部屋に入ってくる。

「だめみたい」サエコは言った。「いいよ、二人で行ってきて」

「そう？　平気かな」

「だって三人でここにいたってしょうがないじゃない。私しかご飯作れる人いないんだよ、私が具合悪いのにあなたたちの食事作ればいいって言うの？　洗い物して、お風呂《ふろ》とトイレ掃除して、家政婦みたいに働いてるの二人で内緒話して見てるつもり？」

言うつもりはなかったのに、気持ちの中のざらざらしたひび割れみたいな部分から、頭の重みが軽減されるほどすらすらと言葉が出る。しかも必要以上に刺《とげ》を持って。

タクジはその台詞《せりふ》を聞くと、サエコを一瞬驚いたように見つめ小さく溜《た》め息を漏らした。サエコはそれを見て、もっと悪態をついてこの男を困らせたいような気持ちになる。とことん困らせ、呆《あき》れさせたかった。捜さなくても言葉は出た。

「ねえわかってって言うほうが無理だと思うけど、ものすごくつらいんだよ。頭がぼんやり痛んで、身体が何となくだるくて、救急車で運ばれるような重体じゃないけど、そうやって鈍い痛みが一日続くんだよ。それだれのせいでもないのわかってる、でも子供は私一人で頑張って作ったわけじゃないじゃない。もっといろんなことわかってよ。もっと協力してよ。もっといたわってよ。あんたが買ってきた本の三十一ページ読んでよ」

そこで言葉がすとんと消えた。サエコは言葉を捜すためにしばらく黙った。風邪で寝ていた小学校三年のとき、「キャンディ・キャンディ」を頼んだのに、母がそれを見つけられず、「意地悪ばあさん」を買ってきたときのことがさっと頭の中に浮かんだ。目の前で見ているストーリー性のあるコマーシャルみたいに鮮やかな画像だった。三十八度五分を指していた体温計。それを見てますます興奮していく自分。「意地悪ばあさん」第六巻の表紙。泣いて騒ぐ自分を困ったように見つめる母親の顔。窓の外で鳴いていた雀。「意地悪ばあさん」を放り投げ、それが本棚に当たったときの音。夜に食べさせてもらったメロンの味。スプーンの形。スプーンのひやりとした感触。

「何も考えてないわけじゃないよ。今日だって、サエコのために映画の前売り買ったんだぜ。考えてないわけじゃないけど、でも身体のことは悪いけどわかんないよ。つらいんだなってのはわかるけどさ、治してやることはできないよ。ねえ明日医者に行ってみろよ」

「言われなくたって行く日だから行くわよ」サエコはベッドに潜りこんで小さな声で言った。

「明日行けば写真撮ってもらえるの。赤ちゃんの写真。先生がそう言ってた」

「そうか。楽しみにしてるよ。それから身体のことも、よく相談するんだよ」

どこかで匂いを嗅《か》いだことのあるような、――そうだプラスチックの匂いだ――くだらない台詞をタクジがしゃべってる。ベッドの中でサエコは思った。

彼等が静かに玄関を開けて出ていく音が布団の中で聞き取れた。

サエコは起き上がってベランダに出た。空の青さが示すとおり空気は冷たい。サエコは駐車場の車のナンバーを数えた。若いカップルが現われて、赤い車に乗って出かけていく。さの28―61が遠ざかっていく。

それが消えるまで見送り、キッチンに行った。ドアを開けたところで足を止める。何かが違うような気がする。サエコはゆっくりキッチンを見回した。ガスレンジに置いてある銀色のやかん、棚に並んだフライパンと鍋《なべ》、端の少し黄ばんだカフェカーテン、何枚か並んで貼られたポストカード、沸騰の黄色いランプを灯《とも》したポット、何度も配置を変えた食器棚の内部。何も変わらず、何も違わない。サエコはその位置でもう一度あたりを見る。食器棚の取っ手、スポンジの緑、ボウルの銀。まるで部屋の中が左右対称にくるりと回ってしまったような、そんな気がした。

冷凍庫から出したかちかちのパンにナイフを入れる。レタスを洗い、きゅうりを刻み、ハムを切ってのせる。パンをトースターに入れるときもサエコはあちこち点検してみた。

トースターの色、スイッチ、大きさ、何も変わらない。手元からパンかすが零《こぼ》れるのも気にせず、サエコは目玉をぎょろぎょろと動かしてキッチンを見回す。

位置だ。紅茶をいれるときサエコはふいに思い付く。窓辺に並んだ缶の位置が違う。滅多に使わないフォートナム&メイソンは左に寄せていたはずだし、トワイニングのアールグレイは右端、瓶に詰めたダージリンはアールグレイの横だった。それにコーヒーの粉を一緒に置いたりはしていない。それからやかん。やかんはいつも何も気にとめず、左のガス台に置いている。それが右にある。フライパンと鍋はいつも裏側を向けて伏せてある。それがぱっくり天井に口を開けている。食器棚の中の、一番上に並べてあったカップ類が、そっくり二段目に移っている。サエコは夢中になってあちこちの引き出しを開け始める。昆布、小麦粉、とうがらし、スパゲティだった瓶の順番が狂っている。使わない食器を入れておいた流しの上の引き出しに、買い置きした調味料が混ざっている。立てて並べたビールの缶が全部寝ている。数え上げていると、本当はどうだったのか思い出せないあやふやなものまで、決定的に違うような気がしてきた。ポストカードの配置すら変わっているように思える。すべてのものが曲がって置かれているように思える。サエコはあいまいな記憶を奇妙な確信に変え、記憶のとおり並べ替えていく。

途中何度も気持ちが悪くなり洗面所へ駆けこんだ。そしてドアを開けるたび新しい意欲に燃えて配置を元に戻していく。

夏休み前だった。レゲエ野郎の体臭はますます強烈になり、首筋や手首が思わず二度見直してしまうほど黒ずんでいた。いよいよ結束を固めたクラスはそれに比例して盛り上がり、前期締めのコンパに彼を呼ぼうとだれかが言いだした。誘いに行ったのはジロちゃんという軽いノリの男の子で、カネ要らないから飲もうよと言うとレゲ郎がすんなりOKしたという話をみんなの前で何度も披露した。

いざ呼んだもののみんな彼の対処に困り、端に坐《すわ》らせてただ酒を勧めていた。時折ジロちゃんやその仲間がレゲ郎に何か話しかけに行っては戻ってきて、そんなことを何度か繰り返していた。サエコは日本酒をちびちび飲みながらその様子をじっと眺めていた。黒ずんだ彼の皮膚の中に、サエコは端整な顔立ちと、反抗する意志に満ちた目を見た、気がした。

酔ったみんなが散り散りに帰る頃、サエコはそっとレゲ郎の後をつけた。クラスメイトたちはタクシー乗り場でぎゃあぎゃあと騒いでいる。レゲ郎は騒々しさに背を向けて、静まり返った夏の道を歩いていった。サエコは彼の丸めた背中をずっと見つめて歩いた。彼は通りすぎる自動販売機の釣り銭受けにいちいち手を突っこみ、道端に落ちた吸い殻を拾っていく。大学の正面にある神社の石段で足を止め、サエコを振り返った。

「おれ、うちないの」

そう言ったレゲ郎の表情は暗闇の中でよく見えなかった。サエコは笑ってみた。そのままレゲ郎はゆっくり階段を上がり、神社内の小さな公園に入っていく。そしてブランコとごみ箱の間に敷いてある小さな段ボールに坐った。段ボールにサエコのお尻《しり》がのる余裕はなかったので、ブランコに乗って彼を見ていた。レゲ郎はごみ箱の後ろから一升瓶を出し、白く濁った酒を飲んだ。

「歳、いくつ」サエコは聞いた。

「おんなしくらいなんじゃない」

「名前は」

「ヒラナカテツオ」

「何で家がないの」

「まあいろいろ」

電球の切れかけた街灯が、レゲ郎の黄ばんだ歯と白い酒をぱちぱちとリズミカルに浮き上がらせた。平中鉄男はあまりしゃべらなかったが、くっついてきたサエコを邪魔に思っているわけでもないみたいだった。白く濁った酒も、道で拾ったシケモクも勧めてくれた。

サエコは自分が歓迎されているんじゃないかと思い、本格的にわくわくしてきた。

次の朝日覚めたサエコはベンチの硬い感触と、ぐんなりと重い頭と、平中鉄男の寝顔に取り囲まれて起きた。見慣れた四角いガラスの中の空のかわりに、妙に広い空が頭上にあった。吸い残しの煙草に火をつけ煙を吐きだした。頭は重かったが、気持ちよく晴れた空のようにサエコの気持ちはぱあっと晴れ上がっていった。中古のレコードにぼんやりと針をのせる日々が終ったことをサエコは知った。鉄男はのっそりと起き上がって水飲み場で顔を洗い、袖口《そで》で拭《ぬぐ》った。目を輝かせて空を見上げるサエコを気にもとめず、不定期なリズムで肩を揺らし階段を下りていく。サエコも急いで後を追った。

鉄男の行き先はファストフードの裏口だった。そこに重ねられた黒いビニール袋を引きちぎり、包装されたハンバーガーをいくつか取り出す。興味深げに覗《のぞ》きこむサエコに、にっこり笑って一つ差し出した。

包装紙をゆっくりと解き、サエコは少し蒸れたハンバーガーをおそるおそる口にした。そしてこんなにおいしいものがこの世の中にあったのかと無邪気に感動した。自由の味だと、サエコは思った。その日一日サエコは鉄男から離れなかった。足りないと思っていた何かが、鉄男の周りに凝縮されているように感じた。

アパートに帰らないまま三日が過ぎた。サエコは何も言わない鉄男に付きまとった。サエコにとって鉄男のすることすべてが、自分を押しこめていた窮屈な箱を壊していくように思えた。鉄男は力強い何かの象徴だった。今まで見たこともないほど過激で、反抗的で、異常で、それらを言葉を用いずに表現しているように見えた。きしきしと痛みはじめる身体に、サエコは一生懸命知らん振りをして鉄男の後を追った。一番つらいのは午後二時過ぎから日が暮れるまでだった。することもなく、公園内の日陰に入ってもじりじりと暑い。鉄男はサエコの隣で拾ってきたシケモクを丁寧にほぐし、それを薄紙に巻いていく作業を飽きもせずじっと繰り返している。サエコはポケットに入っている小銭を握って立ち上がり、缶コーヒーを買いに行った。立ちくらみの連続で身体に力が入らず、このまま電車で帰ろうかとガードレールに寄りかかってサエコは何度も考えた。

ようやく日が暮れてから鉄男はコンビニエンスのゴミ捨て場から弁当を二つ拾ってきた。サエコは箸《はし》を動かしながら、真っ黒に染まった自分の爪を見た。

口の中がかさかさに渇きサエコは目を開けた。ブランコの向こうに細い月がかかり、鉄男は静かに眠っている。身体がむず痒《がゆ》くサエコは爪を立てた。何かがTシャツの中で転がり落ちる。ブラジャーの中に入りこみもがいているそれがごきぶりだと気付いたとき、サエコは声も上げずに一人暴れ回った。あわてふためくごきぶりを踏み潰《つぶ》してからサエコは胃のあたりにぐつぐつとする不快感を感じた。公衆便所を目指したが、間に合わずサエコは砂場に思い切り吐いた。シャツとジーンズが汚れ、たまらなく嫌な匂いがした。

水飲み場で口をゆすぎ水をがぶがぶと飲み、シャツとジーンズを着たまま洗ってもう一度眠る。しかし今度は頭と身体中が猛烈に痒くて眠れない。掻《か》きすぎて頭皮がひりひりしだすのに痒みはおさまらない。サエコは舌打ちをしながら全身を掻きむしった。掻いているとあのごきぶりのことが思い出されて、暑いのに鳥肌がたつ。頭の中にも身体中にも小さな虫が何千匹も這《は》いずっているような気がして、鳥肌を浮かせながらサエコは掻きむしり続け、やがて空が白み始めた。白い空の下で腕や足を眺めると、赤い斑点《はんてん》がびっしりにじみ上がっていた。サエコは水道の下にしゃがみこみ手と足を水で流した。鉄男はいつもどおり目覚め、ハンバーガーを拾って帰ってくる。腹は減っているのでサエコはそれを食べたが、また気持ち悪くなって吐いた。昨日の吐瀉《としゃ》物が砂場で蝿まみれになっているのが見えた。鉄男の隣で横になり、小さな蟻がTシャツの上を横切って行くのを眺めサエコはこのまま死ぬんじゃないかと考えた。起き上がって鉄男に手やら足やらを見せ、斑点が出てると告げると、鉄男はただ一言、

「キレエだな」

と言った。

サエコは急に涙ぐみ痒くてたまらないのだと声を荒らげた。鉄男は白く濁った酒を持っ

てきて、飲めば和らぐよと言う。サエコは鼻をすすりながら苦い酒を飲んだ。確かに痒みはおさまってきたが、今度は不安で身体中がむずむずした。

その日の夕方サエコはアパートに帰った。足をふらつかせて鍵《かぎ》を開け、一目散に風呂《ふろ》に入った。風呂場から出る頃には赤い斑点は嘘みたいに消えていた。冷蔵庫から麦茶を出して飲み、留守番電話を巻き戻して聞いた。入っていた用件はほとんどトモコからで、今度うちのサークルがライブをやるから見に来いと、何度も何度も言っていた。毎日いないけど、田舎帰っちゃったの？　六月頃サエコサークル捜してるって言ってたよねえ？　私のところ見に来るって言ったまま夏休みになっちゃったけど、ちょうどいい機会じゃないかな。きっとすっごく楽しめると思うから、絶対来てね。トモコの声を聞きながら部屋の中を見回し、サエコは愕然《がくぜん》とした。今までの自分が亡霊みたいにぞろぞろと壁から浮き上がってくるように思えた。中学生のときの、高校生のときの、お嬢さんを気取ってみたときの、セーターを編んでいたときの、常に何かであろうとして、結局うまくなれなかった自分が薄れかけていた記憶から這い出してきて、サエコを惨めな気持ちにさせた。そうして思い出すのは昨日までの三日間と、鉄男のあの意志に満ちた目の光だった。あそこにいれば、彼といれば、そんな過去は本当に意味のないものだった。何者かである必要のまったくいらない場所だった。

けたたましく鳴り始めた電話にサエコは飛び上がり、反射的に受話器をつかんだ。トモコだった。間に合ってよかった、ライブ今日なの、見に来てよ。トモコは言い、サエコは誘われるまま財布だけ持って出かけて行った。

立花タクジはアフロヘアでJBを歌い、腰を振り、ラムをらっぱ飲みし、ほかの男がパンクを演奏して中指を突き立て、舌を出し唾《つば》を吐いて歌った。そのうちノッてきた男の子たちは全員素っ裸になって、逃げ回る女の子たちを追いかけ回して歌い始めた。サエコはそんなすべてがくだらなくちっぽけに思えて仕方がなかった。鉄男はもっとすごいんだぞと心の中で毒づいた。あんたたちはキンタマ出してでろでろに酔ってすごいことしてる気になっても、電車に乗ってお家に帰って、明日の朝トマトジュースに塩をふって飲むんだ。何もなかったように街を歩き公共料金の支払いを済ませ、今日のばか騒ぎを勲章と勘違いして得意げに話すんだ。そしてサエコは、可哀相な人たち、とありきたりな台詞《せりふ》をつぶやくのだった。

狭いライブハウスを後にし、通りかかった薬屋で防虫スプレーを買ってサエコは公園を目指した。

その夏の間サエコはずっと鉄男と過ごした。十日風呂に入らないと痒みを感じなくなった。すぐ傍で蠢《うごめ》く虫たちも以前のように恐怖の対象にはならなくなった。ある程度の不快感は酒を飲めば凌《しの》ぐことができた。どれもがサエコにとって新しい真実だった。サエコと鉄男は毎日のように飲んで歩いた。お金を払うのはいつもサエコで、だんだん資金繰りが苦しくなってきたサエコは、鉄男が連れて行く路地裏の酒屋の店先で飲んだ。サエコたちが入っていくと、いた客は全員じろじろと二人を眺めた。彼等は強烈な匂いを発している鉄男を見るのでなく、明らかにサエコを眺めていた。サエコはその視線を充分感じながら酒を飲んだ。サエコは次第に気分がよくなるのを感じた。それは酔いではなく、うっすらとした快感めいたものだった。

「酒はいいなあ」

「毎日酒が飲んで暮せたらなあ」

「レモンの入った焼酎《しょうちゅう》が飲みたいなあ」

二人で飲んでいても鉄男はそんなことしかしゃべらなかった。サエコについて何も聞かなかったし、サエコが何か聞いてもわかんないか忘れただった。

隣に立つ同じような格好の親父と話を弾ませているので耳を傾けてみると、

「山田医院の犬は吠《ほ》えすぎる」とか「南田ハイツの向かいの犬は毛並がよくて、撫《な》でているととろけそうになる」とか、「三丁目のパチンコ屋の裏で子猫が生れて今四匹いる」とか、何だかよくわからない主題で熱心に語っているのだった。

酔っ払って明け方の公園で寝て、サエコが目覚めると、いつの間にか浮浪者の親父が来て鉄男に説教をしていたりした。本の一冊も持ってないとは何事か。本からは学べても女からは何も学ぶところはない。人間一生コレ勉強だ。鉄男はにこにこして、はあ、そうすね、と相槌《あいづち》を打つ。親父は紙袋の中から菓子パンをどさどさと出し、やる、と言う。サエコと鉄男は頭を下げて食べた。雀荘《ジャンそう》の向かいのビルで血抜いてきな、パンツとかよ、シャツとか歯ぶらしとかくれっからよ。そう言って親父はとぼとぼと消えて行く。

駅の構内で、木陰の多い公園で、歩行者天国で、街の片隅でサエコは鉄男と並んで坐《すわ》り、着飾って歩く若い女たちを見つめた。彼女たちは坐りこんだ浮浪者に限りなく近いカップル、あるいはカップルに限りなく近い浮浪者を見下ろし、その若さに驚いて振り返っていった。サエコの中で快感は確固とした形を作り始めていて、そんなときはころころと転がってサエコを得意にさせた。すれ違う中年女が顔をしかめハンカチで鼻を押えても、サエコは気分がよかった。

鉄男と共にシケモクを拾って歩き、傘の骨を手にコンクリートに這いつくばり自動販売機の下を引っ掻き回し、賞味期限の切れたコンビニエンスの弁当を物色し、そうして日を過ごしては鉄男と自分の存在の大いなる意義について思いを巡らせるのだった。現代の若者はこうしてコトバにならぬ社会に対する怒りを訴えていますとテレビのレポーターが取材に来る気すらした。無気力でドラッグに溺《おぼ》れている若者ばかりではないんですねえという、アナウンサーの合の手も聞こえてくるようだった。そうしたら、とサエコは考えるのだった。鉄男のように何も言わず手製の巻き煙草をくわえて意志と怒りに満ちた目でカメラを睨《にら》みつけよう。サエコはあまりにわくわくして、どんな意志かどんな怒りなのか考えもせず酒を飲んだ。

雨の日は図書館に入った。雑誌コーナーのゆったりしたソファに沈み込み、大きなガラスにぶつかって滴り落ちる静かな雨を二人で眺めていた。ガラスに映った自分のどす黒い顔を見ても、それは他人の顔みたいで、サエコは驚かなかった。自分の酒くさい息の中で呼吸をし、うとうとと眠る。少数の学生たちの足音や、傘から漏れる雨のしずくや、ページをめくる乾いた音がかすかに聞こえた。九時に図書館を追い出されると鉄男は校門をよじ登った。サエコに手すら貸さないのが不服だったが、サエコも必死で追いかけた。真っ暗な校舎に入ると夏の匂いがそこで途切れ、硬い匂いがした。鉄男は音をたてずに歩き、いつも授業を受ける201教室に入った。長い机に横になり、短い煙草を吸い尽くすと彼は眠った。ぼんやり入る明りが、遠くの国の墓場みたいに並んだ机と、横たわる鉄男の身体を浮き上がらせた。

夏休みが終った。鉄男は週に一度授業に行き始めた。サエコは何もする気になれなかった。鉄男が行くのをぼんやりと眺め、うつらうつら眠った。起きて鉄男がいないと、サエコは白く濁った酒を飲んだ。一人でハンバーガー屋の裏手に行って、ゴミ袋をちぎった。時折通りすがりの浮浪者が、かちかちの菓子パンを分けてくれた。

酔っているときと眠っているときと、起きているときの区別がだんだんつかなくなってきた。考え事をしてもどの部分で考えているのかわからなくなり、サエコは何かを考える行為をすっぱりとやめた。得意になることももうなかった。鉄男が拾ってきたぼろぼろの毛布にくるまり、口臭の臭さに唾を吐き、ぬるぬるした歯を舌でなめ、喉《のど》の渇きに白い酒を流しこみ、切れ目のないだるい一日が続く。夢の中で泳ぎチーズケーキを食べ授業を受け、それは起きて水道で顔を洗い寝転んで青空を眺めているのと同じレベルの経験だった。夢が立ち上がって実生活に入り込んで来る。四時に学食でね、とじゅんちゃんに言われ、酔ってぐるぐるする頭で学食に行き、一時間坐っていても知り合いは来ない。それでサエコはああ夢かと気付く。夢も生活もサエコにはふにゃふにゃの形のないもので、どちらかがどちらかを脅かすことはなく、ある一定の時間を過ぎると両方突然忘れた。キロワットオーバーでブレーカーがばちんと落ちるみたいに。

サエコはそうして、眠っているんだか酔っているんだかわからない状態で、鉄男と十か月近く一緒に過ごした。路上生活にピリオドを打ったのには、いくつか理由があった。

かなり冷える冬の日、段ボールをかまくらに似せて積み上げ、その中でサエコは鉄男とじっとり重い薄汚れた毛布にくるまって酒を飲んでいた。気が付くと一人増えている。色の浅黒い男は変な日本語をしゃべり、合間にフレンズフレンズと連発して笑った。男は茶色い酒を持っていて、二人は勧められて交互に飲んだ。脳天にひびが入るんじゃないかと思うくらい強い酒だった。男は図々しくも毛布に入りこんできて、にこやかに話し、次第にサエコににじり寄り全身を撫で回し始めた。抵抗もせずにいると男はサエコに覆い被さり、積み上げた段ボールはばたばたと倒れた。サエコの顔に男の髪がかかった。寒いのか暖かいのか、気持ちがいいのかそれともこんなことをされて嫌なのか、そんなこともサエコにはわからなかった。崩れた段ボールの向こうに鉄男が見えた。茶色い酒を地面に垂らし、それに火をつけて遊ぶ鉄男の姿が見えた。男のぱさぱさの髪の透き間に夜空が見えた。眠るときいつも頭上にあった空は自由とパワーがみなぎっていたのに、空は安物の穴あきバケツみたいにからっぽだった。

生理が来なくなった。ジャンクフードしか食べない生活でも一日たりとも遅れたことのない生理が二週間も来ない。妊娠という言葉を思いついたとき、いつ始まったんだかわからない酔いがいっぺんに醒《さ》めた。鉄男はできない状態のときがほとんどだったが、それでも夜の教室で何度か寝たことはあった。それならまだよかった。浅黒い子供が生れフレンズとにたにた笑う場面がサエコに鳥肌をたたせた。今まで見えなかった、見たくもなかった「この先」が真っ白になって現われた。

そして酔いが醒めたとき、鉄男がどんな人なのか突然サエコは理解した。彼は単純に何もしない人だった。反抗心があるわけでもなく、過激さを持ちあわせているわけでもなく、路上でも不自由なく暮していける野性的な力以外、サエコが期待していたようなパワーを内在しているわけではないのだ。彼はすべての可能性の中からストイックに路上生活を選び出したのでなく、そうするしかほかになかったのだ。現実の裏側に回りこんなふうにも生きられる、鉄男と一緒にいればその先へも行ける。サエコは漠然とそう思っていたけれど、鉄男に先なんてないに等しいのだった。

今まで意味をなくしていたものが、サエコには急に懐かしく思えた。たとえば布団。柔らかい枕。きれいな模様のカップで飲むカフェオレ。中古屋で買ったレコード。それにテレビ。雑誌。何となく取っておいたプレゼントのリボンまでが懐かしく思えた。

自動販売機の釣り銭受けと、機械の下から二百三十円拾って帰ってきた鉄男を捕まえて、サエコは思いつくかぎりの台詞《せりふ》で彼を罵《ののし》った。あんたはただのヨイヨイで、もうちっとなんか考えてるのかと思ってたけど酒飲みたい以外は何一つ考えてないし、ただ逃げてるだけの卑怯《ひきょう》もんで、生きながら死んでるようなもんで、そんなら死んじまえばいいのにそうする勇気も持ちあわせていない、モグリで授業受けに行ってるけど、インテリの浮浪者にでもなるつもりか、いくら通ったってあんたみたいなあほんだらに大学の授業を理解できるわけがない、それともああいう雰囲気が羨《うらや》ましいのか、あんたがこれっぽっちも持ってない未来がきらきらしてるような場所がさ、あんたはどうしようもないクズだ最低だインポだ臆病《おくびょう》もんだ、わかったかバカヤロウ。二百三十円を片手でもてあそびじっと聞いている鉄男が、何か言い返してくれるのをサエコは待った。テメエが勝手についてきたのに何言ってんの、おれは何も言ってないぜ、あんたが考えてたようなご大層な思想持ってるわけじゃないし、あんたが勝手に幻想抱いてくっついて来ただけじゃんか、あほんだらはどっちなんだよ。サエコはそう言われるのを待った。しかし鉄男はサエコを見てにっこり笑った。ビール買えるな、しばらくして一言言ったきりだった。

サエコはその日一滴も酒を入れず学校に行ってみた。葉をつけ始めた銀杏《いちょう》並木やカラフルなサークルの立て看板や一列に並んだ窓ガラスが、くっきりと見えた。英文学の教室には知らない顔ばかりがいた。サエコが勝手に現実から抜け落ちている間に、そこはきちんと四月になっていた。ぽかんとして一番後ろの席に坐っていると、去年習った教授が入ってきて出席を取り始める。聞いたことのない名前が羅列され、最後にサエコの名前が呼ばれた。反射的に返事をしたサエコにぱりっとした学生たちの視線が集まった。サエコは自分がひどく場違いであることに気付いた。あのときふらりとやって来た鉄男のように。ずいぶん長いこと来ていた毛玉だらけのセーターに顔を埋めたが、自分がどのくらい汚いのか臭いのかわからなかった。

帰って熱いシャワーを浴び、真新しいソックスをはき、丁寧にカフェオレをいれて飲んだ。頭がぼうっとしていた。サエコはそのままぼうっとした頭で、時間を決めて食事を作り、部屋の中を飾り、レコードをかけ、本を読んで暮した。時々去年のクラスメイトたちが電話をくれた。トモコは相変わらずサークルにサエコを誘い、サエコは時折彼女と待ち合わせて出かけた。彼等のやっていることはいつもおんなじだったが、それだけ秩序だっていた。授業のない時間は部室でしゃべり、時々練習し、月に一度ライブをやって大騒ぎし、安い飲み屋で宴会をする。懐かしい秩序。終りのある宴会。サエコはそれをぼうっとした頭で眺めていた。あのとき感じたとてつもない自信はなんだったんだろうと思った。裸になって騒ぐ彼等は何かのルールの上ではしゃいでいたが、少なくとも「酒はいいなあ」以上のボキャブラリーを持っていた。

トモコの音楽サークルと自分の部屋を往復する毎日の中で、サエコは鉄男のことを何度も考えた。地面により近いところで暮した、切れ目のないアルコールのせいで世の中が少し歪《ゆが》んで見えた無言の日々を思った。トモコが「レゲ郎が大学から消えた」と言い出し、そのときだけサエコは校舎の前の公園に行ってみた。ブランコとゴミ箱の間に段ボールはなく、ゴミ箱の後ろを覗《のぞ》くと空の一升瓶がころりと転がっていた。

高校時代や大学時代のクラスメイトから結婚の挨拶《あいさつ》状が届くようになり、サエコはそれを手に、銀杏の木の下でぼんやり宙を眺めた。小学校よりも長く大学にいる自分が情けなかった。思い思いの方向に伸びた枝の間からちりちりと夕焼けがサエコの視界を揺らし、サエコは自分がずいぶん間違った道を歩いていると感じた。たんすの隅にドレスのような長い制服のスカートを見つけたときや、まったく着なくなった高級ブランドの洋服を田舎に送るとき味わった気恥かしさより、数倍苦々しい気持ちがした。どこで道を間違ったのか。彼女たちとどこで別れたのか。そんなことを繰り返し考えた。

そういうときまず思い当たるのは平中鉄男だったけれど、サエコが曲がった曲がり角はもっとずっと昔にあった気がした。ちょっと間違って歩き始めた道の先で、鉄男と会ってしまったように思えた。

もう一度道を曲がろう、元に戻ろうとサエコは思った。何かを自分で決心するのはひどく久し振りに思えた。サエコの目からはぱりぱりに見える学生たちに混じり教科書を広げ、分厚い就職情報誌を買い、トモコたちが提案する同窓会にも足繁く通った。タクジと寝た夜、サエコは結婚という言葉を思い付いた。その言葉は何だかサエコに向けてかすかに扉を開いているようだった。その扉から、サエコを透き通らせるくらいまぶしい光が細く細く流れてきていた。その明るさに安心してサエコは時折考えた。いつか平中鉄男があの特有の匂いをぷんぷんさせて、自分が作り上げた幸福を壊しに戻ってくるんじゃないか。それは恐怖というよりも甘ったるい幻想だった。あの男に人の何かを壊すような、そんな意志や力があるはずがないことはサエコ自身がよく知っていた。

道路で眠ったことも黒ビニールからハンバーガーを取り出して食べたことも、釣り銭受けを覗いて歩いたことも白く濁った酒も期限切れの弁当のあのジャンクな味も、着飾った若い女を見下げたことも、あのめちゃくちゃで不潔な暮しが自由だと、大いなる反抗だと思いこんでいたことも、全部全部忘れよう。そして何かを忘れるのは、何かを自分の中から捨てるのはこれが最後なはずだとサエコは思った。

病院からの帰り道サエコは何度も立ち止まり、母子手帳にはさんだ超音波写真を取り出して眺めた。もっと落ち着いて見たくてサエコは通りかかった公園に入り、日当たりのいいベンチを選んで坐《すわ》った。人差し指と親指で七・五センチを目安で広げ、空にかざしてみたりした。薄曇りの空の中に、小さな赤ん坊がはめこまれているように思える。人に見られていやしないかときょろきょろとあたりを眺め、まだぺたんこのおなかに手を当てる。

脳味噌《みそ》と手足と顔を持ったねずみみたいだと思う。何かの変化がこの中で起きて、生れてくるのが本当にねずみだったらどうしようなどと考えてみてはどきどきし、それでも口元はほころんだ。笑った口を押え、もう一度あたりを見回す。大きなピンク色が目に入り、サエコは口に手を当てたまま視線をとめた。

フロントガラス以外すべてをピンクに塗ったバスが木立の向こうに停まっていた。それは思わず見入ってしまうほど見事なピンクだった。子供の手を引いた女や毛糸の帽子をかぶった老人は、しかしバスには見向きもせずに通り過ぎていく。お揃いの白いセーターを着た子供たちも、そっちには目を向けず砂遊びに熱中している。サエコは立ち上がり、そっと木立に向かって歩いた。ドアも降車口も窓ガラスも、すべてピンクで塗りたくってある。アイスクリーム屋か、一風変わった無農薬野菜屋か。車体には何の広告も書かれていない。

しかし近付くにつれ、それほど綺麗《きれい》なバスでないことがわかった。塗り方は雑で、濃淡もあれば、窓ガラスのピンクは爪で引っ掻《か》いたようにはげかかっている。

少し離れたところからこの珍しい乗り物を眺めていたサエコは、急に実夏子の言葉を思い出した。バスがね、迎えに来ることになってるの、ピンクのバス。これだ、とサエコは思わず声に出した。これがまさしくピンクのバス。ピンクのバス以外の何物でもない。サエコは飛び上がりたいほどうれしかった。駆け出そうとし、気を静めて足を速める。バス来てましたよ、バス来てました公園に、早く行ったほうがいいですよ。サエコは実夏子に言う台詞を何度も心の中で繰り返して歩いた。

「実夏子さん！」

玄関を開けて出した声がうわずっていた。

「バス、来てました、ピンクのバス！　公園に！」

大声で言いながらあちこち捜したが、だれもいない。部屋の空気もひんやりとしている。彼女の大好きな洗面所も覗いてみたが、長い髪の毛が何本か落ちているだけだった。もしかしてもう帰ったのかもしれないと、ほんの少し期待しながら和室に行くと、白い布団の向こうに十八体のぬいぐるみが並んでサエコを見つめている。ボタンやフエルトやインクの目が、無表情に並んでサエコを見ている。サエコは呼吸を整えながらずらりと横一列に並んだぬいぐるみを見返していたが、それらを一つ一つ取り上げてまとめ始めた。いかにも軽そうに見えるばかげた顔のカメやサルが、持ってみるとずしりと重かった。サエコは構わずそれらを積み上げ、ゴミをまとめるように端に寄せた。それからそっと振り返り、キッチンや寝室の何かが位置を変えていないかじっとあたりを眺め回した。

窓ガラスが紺に色を変えても、実夏子は戻ってこなかった。サエコは夕食の支度を始めたが、途中でどうしてもカツ丼が食べたくなった。ガスを止め、近くのコンビニエンスまで買いに行く。もう少し足を延ばしてあの公園まで歩いていって、実夏子がそこにいるか見てこようかとも思ったが、そのまま帰った。鍋《なべ》の下で細い火がちらちらするのを眺めて一人冷たいカツ丼をひたすら食べた。

タクジが帰ってきて、サエコは食事をするタクジをじっと見つめた。部屋の中がやっと元通りになった気がした。タクジは超音波写真を何度も眺め、へええと繰り返す。

「ねえさんは」

写真をテーブルに置いてタクジが言った。

「何だか出かけたみたい」

「ふうん」

それだけ言って、タクジは食事を続ける。

二人きりの時間はものすごく久し振りだった。いつも影のように実夏子が入りこんでいた。

「どこへ行くって言ってた？」

汚れた皿を片付けながらタクジは何気なく言う。

「え？」

「ねえさん」

「ああ、病院から帰ってきたらね、もういなかったの」

タクジは皿を持ったままサエコを振り返る。

「それって何時の話」

「午前中病院に行ったから、お昼頃かな」

タクジは手を洗い、カーディガンをはおった。

「捜してくる」

「ちょっと、何言ってんの？」サエコは急いでタクジのカーディガンを引っ張る。「あの人子供じゃないのよ？　捜しに行ってどうするの」

「だってもう十一時だぞ、あの人このへんの地理あんまり知らないだろ」

「帰ったんじゃないの」サエコは声を上げた。「あのね、団地の公園にピンクのバスが来てたの。それに乗って帰ったんじゃないかと思うんだけど」

タクジはぽかんとした顔でサエコを見つめる。

「言ってることがおかしいよ」

「どうして？　あの人が言ってたんだよ、ピンクのバスが来るのを待ってるって。タクジ何も聞いてないの？　ピンクのバスが来たんだから帰ったっておかしくないでしょう」

「そのピンクのバスってのはどこにあった？」

サエコが引っ張ったせいで乱れたカーディガンをなおし、タクジは靴を履く。

「ねえ何やってんの？　どうしてわざわざ捜しに行くの？　おかしいのはタクジじゃない。ふらっと来たんだもの、ふらっと帰ったって何の不思議もないでしょ、それにもしここに戻ってくるとしても子供じゃないんだから一人で帰れるよ」

おかしいのは君だという目でちらりとサエコを振り返ると、タクジは闇の中へ出て行った。

サエコは流しに行って汚れた皿をぼんやり見つめた。皿に残った煮汁が油を表面に浮き上がらせ、てらてらと銀色に光っている。その中に指を突っこんで、なめた。やめられなくなり、スプーンを持って来て煮汁を飲み始める。スプーンが皿にぶつかる音と、時計が秒を刻む音がとけあわずにざらざらとサエコの耳に届いた。

十二時になってもタクジは戻ってこなかった。サエコはテーブルに坐ってスプーンを握ったまま宙を見つめていた。サエコの作り上げた完璧《かんぺき》さをまだ保っているキッチンが、定期的な秒針の音につられて少しずつ遠くに行くような気がした。部屋の中は静まり返っていた。無数の音がサエコの耳に届く。冷蔵庫がウォーンとうなり声を上げ、湯を沸かすポットが時々くつくつと笑い声に似た音をたてた。寝室の床がきしむ音。ほかの住人が階段を上がる音。車が通りすぎていく音。表で風が何かに当たり奏でるどらの音に似た音。遠くで鳴っている電話。無数の音がそうっとキッチンに入りこみ、あちこちから細い腕を伸ばし、サエコを押えつけ動かせなくさせる。

サエコは勢いよく立ち上がり、薄いコートをはおって外に出た。吐く息がもう白かった。きりりと冷たい空気の中に出るといくらか頭がすっきりした。罪悪感を感じながら煙草に火をつけて吸いこむ。細い月に向けて煙を吐きだしサエコは公園に向かって歩き始めた。ヘッドライトがいくつかサエコを追い越して行った。もう一口煙草を吸うと、つらつらと自動的に思い出す記憶におどおどしている自分が馬鹿らしくなった。サエコは足を速めてしんとした道路を歩いた。

昼間と同じ木立の向こうに、ピンクのバスは停まっていた。人気のない公園をサエコはゆっくり進んだ。子供が忘れていったプラスチックのシャベルや小さなバケツが転がっていた。ぽつんと立った街灯がバスを浮き上がらせている。バスに流れている薄い影が実夏子だとサエコはすぐわかった。サエコは足を止め、木に寄り添ってそっと覗《のぞ》いた。車体に映る実夏子の大きな影はゆらゆら動き、もう一人の影が見えた。

実夏子ははさみを持ってだれかの髪を切っていた。手にした小さなはさみが、月の明りできらきらと光る。スツールに坐りじっと髪を切られているのがだれなのか、サエコは目を凝らした。後ろ姿はタクジのカーディガンではなかったが、その服には見覚えがあった。色を重ねた濁った色のトレーナー。瞬間的にサエコは匂いを嗅《か》いだ気がした。すえたような酸っぱい匂い。サエコの中で記憶と今がかちんと音をたてて円を閉じた。地面がどんどん薄くなり、身体が浮き始めたみたいだった。何かを考えるより先にサエコは引き返していた。公園を抜け、ポケットから煙草を出す。手が震えて、ライターはかちかちと鳴るだけだった。

だれもいない部屋に飛びこんでサエコは布団をかぶった。真っ白に光る頭の中で、思い出せるかぎりぬいぐるみを数え上げた。うつらうつらし始めた頃、タクジが帰って来たのがわかった。低い話し声で実夏子も一緒だということがわかる。彼等は同じトーンでずっと何か話し続けている。サエコは眠りの莢《さや》を破って起き上がり、彼等の話を聞こう聞こうと思うのだが、もさもさ続く声はサエコを眠りへと連れて行く。

サエコがまとめあげたぬいぐるみは、朝起きるとそれぞれカーテンに背をあて、また一列に並んでいた。

「ねえ男か女かっていつわかるんだっけ？　名前、いつごろ考えればいいかなあ」

歯を磨く手を休めず、タクジが明るい声で話しかける。

「朝っぱらから元気ね」

サエコはカーテンに薄い影を作っているぬいぐるみを見つめて答えた。ずらりと並んだぬいぐるみに見下ろされるように実夏子は静かに眠っている。

「貯金さ、少しずつふやしたほうがいいな、きっと。それから思ったんだけど、サエコ毎日ロックとか聞いてろよ、音楽的に才能のある子供が生れるかもしれないぜ。レゲエは止めとけよ、レゲエは。クラシックでもいいけどおれたちが理解できないしなあ」

「昨日結局どうなったの。実夏子さんどこにいたの」

タクジはゆっくりタオルで顔を拭《ふ》き、

「団地の方ふらふらしてた」

ぼそりと答える。

「ピンクのバスあったでしょ？　あれに乗るって言ってなかった？」

「さあ。あ、サエコ今日朝飯いいや。コーヒーだけ飲んでく」

サエコは右からゆっくりぬいぐるみを数える。十九。一つ増えている。左からもう一度数えたが、やはり一つ多い。真ん中に見慣れないキリンが坐《すわ》っている。

「ねえあなたたちきょうだい、変だよ。何か隠してるみたい。実夏子さんは一体どうしてここにいるの。どうしてあなたも何も言わないの」

サエコはコーヒーを差し出しながら静かに言った。タクジはサエコを見つめていたがにっこりと大袈裟《おおげさ》な笑顔を作った。

「ねえ。妊娠中って、食べ物の趣味変わるらしいじゃない。サエコ変わった?」

「少しね」

「性格も変わるもんなの?」

「どういう意味よ」

「だってサエコ、変わったみたい。疑り深いし、意味のないところに変な意味くっつけていらいらしてるみたいだし。前はもっとのほほんとした、ぽわーっとした人だったのに、最近目が吊《つ》り上がってる。だってさ、姉貴がいる。その人が訪ねてきて何泊かして、居心地がいいからしばらくいさせてくれって言う。何年も同居してくれっていうわけでもない。このへんの地理をよく知らないのに出かけてって何時間も帰ってこない、普通心配になって捜しに行くだろ? 結婚したての頃君の同級生がこっちに用があって出てきて、何泊かしてったことだってあったし、もしさ、君に妹がいたとして、その子が出てきて、東京楽しい、もっといたい、あるいはこっちで部屋捜すことにしたから部屋が見つかるまで置いてくれって言ったとしたら、おれはそういうもんだって普通に思うけど。三人で暮すことにはちょっと慣れるまで時間がかかるけど、まあ君の身内なんだし。それより何をどういうふうに隠すのさ?」

サエコはコーヒーをすするタクジをじっと見た。よくもまあそんな当たり障りのない言葉をへらへらへらへらしゃべれるものだと思いながら。人間っていうのはさ、行き着く道なんて決まってると思うんだな。ずっと前タクジが言った台詞《せりふ》を急に思い出した。サエコは大学七年で、トモコと一緒にサークルのOB会に行き、サエコがまた留年したとこぼしたときにタクジはビールを握り締めて得意げに言っていた。そこに行くのが遅いか早いかってことだけでさ。時間なんか問題ないんだよ。行き着く場所が決まってるんだからさ、要は、そこに行き着くまでの間何を見るか何をするか何を拾うかってことだと、おれは思うんだよ。七年なんて、たいしたことないじゃない。そう言って大袈裟な笑顔を作った。

「そうよ、すごく小さなことが気になっていらいらするようになるの。意味のないことに意味があるような気がして、身体中がぞくぞくするの。じゃああのピンクのバスは何なの、実夏子さんはどうしてピンクのバスを待ってるって言ったの、そうやってどんどん不思議になるのよ」

「胎教に悪いんじゃないの」

タクジはサエコに背を向けてネクタイを結び、小さな声で言った。

「何言ってんの？　あんた全然変わってないのね、どっかで聞いたような痛くも痒《かゆ》くもないようなこと言って、いつも正しいのは自分で、間違ってるのは全部私！　私、あの人気持ち悪いの。気持ち悪くていらいらするの。何日もいるのに手伝ってくれたこといっぺんもないし、自分では箸《はし》以外何も持たないし、夜中になんか食べてるし」

しゃべるうち段々声が高くなり、鼻の奥がつんとするのをサエコは感じた。しかしタクジはそれを聞くと大声で笑った。

「おふくろが全部やってあげてたからな」

そう言ってコートをはおり、振り向かずに出て行った。サエコはいらいらして身体中がむず痒く、何かを思い切り壁に投げつけたかったが、壊してもいい何かは見当たらない。じっと睨《にら》みつけていると玄関のドアがゆらりと歪《ゆが》みだし、サエコはベッドに戻った。実夏子の布団の傍を通ると、足の裏がちくちくした。ベッドに腰掛けて足の裏を覗《のぞ》きこむと黒い細かい髪の毛がたくさん張りついている。サエコは急いでガラス戸を開け、足の裏を払った。そっと実夏子の枕元に行き、はいつくばるように床を眺めると、白い布団にも畳の目にも、細かい毛がぽつぽつと黒かった。サエコは頭を二、三度振って、力をこめて掃除機をかけた。轟音《ごうおん》に取り囲まれて実夏子は静かに眠り続ける。

十一時を過ぎてもタクジは帰ってこない。サエコはつるりと白い受話器に手をあててしばらくタクジの名刺を眺めた。そこに印刷されているタクジの名前は知らない人みたいに感じる。番号をゆっくりと押し、遠くの方で響くコールを八回聞いた。はい、と無愛想な男が出る。立花はおりますでしょうか、サエコはおそるおそる声を出す。はい？　男はますます無愛想に言う。先週から大阪支社の方に出張してますが。え？　立花ですよ？　出張？　サエコの声はかすれている。ええ。営業二課の立花は出張中。いらいらして男は答える。だってあの、昨日も、おとといも帰ってきたし、今朝だってうちから出ていきましたけど。サエコはどもりながら言う。幻想ですか、奥さん。胎教に悪いんじゃないですか。がしゃん。

その音に飛び上がり、サエコは目を覚ました。ぷつぷつと雑音の混じったコールの音も無愛想な男の声も息遣いも、耳の奥にはっきり残っていた。時計を見ようと顔を上げると、実夏子の顔がそこにあった。サエコはもう一度飛び上がる。実夏子はじっとベッドを覗きこんでいる。右手に超音波写真を持っていた。

「おなか、触ってもいい」

サエコが目覚めたことを認めると実夏子はささやくように言った。サエコが答える前に白い手が布団を剝《は》ぎ、セーターをめくる。ひやりと冷たい掌《てのひら》がサエコの腹部をそっとなぞった。サエコはとっさに身体を硬くして、じっと白い手を見つめた。

「この中に目や口や掌や脳味噌《みそ》があるなんて嘘みたい。何だか気持ち悪くない？　あなたの身体の中に、もう一つ小さな脳味噌や目が含まれてるのよ」

実夏子が暗闇の中で操っていたきらきら光る小さなはさみを取り出して、おなかにつきたてるんじゃないかとサエコはふと思い、どきどきした。意味のないものに意味をつけて、とタクジが頭の中で言っていた。実夏子はそっと丁寧に、サエコの腹部で手を往復させている。

「あなたが産むところ、見てみたいわ。一人の人間の中から、もう一人出てくるところが見てみたい」

「ピンクのバス、来てましたよ」

サエコはセーターを下ろし、言った。

「知ってる」

実夏子は答えた。

「乗ってくんですか」

「うん」

そう言って実夏子はじっとサエコのセーターを見ている。薄暗い部屋の中で実夏子の顔と手だけが白い。

「タクちゃんは昔、あんな子じゃなかったの」

実夏子は言葉を切ってじっとサエコを覗きこむ。サエコは言いようのない気持ち悪さを覚えた。実夏子を押しのけて洗面所に行き、冷たい水で口をゆすぎたかった。しかし実夏子は手を伸ばし、サエコの腕を握り締める。

「ねえ、あの子、変じゃない？　あの子の話、聞いてると頭が変にならない？　普通こうだ普通ああだって。普通なんてどこにもないでしょ、でもいつも変なからっぽのこと言って、ねえそれについてどう思う？」

実夏子はサエコから視線を外さずに話し続ける。

「ねえ変よね？　あの子、そういう変なことしか言わないの。ちゃんとした会話がもうできないの。ちゃんとした会話をしようとすると、あたしは頭がおかしいから仕方ないって、そうやってタクちゃんの世界を崩さないようにまとめて、終りにするの。でもあたしはね気持ち悪いの、こん中に脳味噌やら手やら足やらが入ってんの。どんどん育つの、どうしても気持ち悪いって思っちゃうの。そういうこと言うなって言われたけど、タクちゃんだって本当はきっとそう思ってるのよ。ねえどうしてタクちゃんはあんなふうになっちゃったのかな？　あなた何か知ってる？」

サエコは実夏子を見つめて首を振った。

「あのバスには乗っちゃだめだってタクちゃんは言うけど、それだって、いけないって理由があるからじゃなくて、どこかでいけないって言われてるからそう言ってるの。そっぽ向いてそのへんのおじさんに言ってるのとおんなじなのよ。あの子おかしいわ。あたしが連れて行ってもあなたあたしを恨まないでね。だっておかしいものあの子、可哀相に」

サエコは実夏子の腕をそっとほどき、洗面所へ行った。ウエエと声を出し、酸っぱい液を吐いた。それから歯磨き粉をたっぷりつけて、時間をかけて歯を磨いた。このまま洗面所から出たくなかった。鍵《かぎ》をかけて、ここで一生歯を磨いていられたらどんなにいいだろうと思う。歯磨き粉のチューブや乳液に書かれた文字を片っ端から読んだ。しまいに吐き気がして、鼻の奥がきんきんと痛む。胃の中で何百羽ものうずらがパニックを起こして逃げ回っているようだった。それでもサエコは歯を磨き続けた。

胃袋で逃げ回りあふれ続けるうずらは、そのままサエコの記憶になった。とっくに色褪《あ》せてぼやけていた記憶がたちまち色濃く浮き上がってくる。思い出せなかった教師の名前も、ロッカールームにびっしり書かれていたいたずら書きも、小学校の火曜日の時間割も、給食のメニューも、出席番号も、父兄参観に母親が着てきた服も、お遊戯会でやったページェントの台詞《せりふ》も、奇妙なリアルさでよみがえってきた。

それは鉄男と過ごした頃に似ていた。目が覚めても覚えていられる夢を、数え切れないほど見た。音も感覚もリアルなのに、匂いだけが欠け奥行きがない。夢が立ち上がって現実に入り込み、現実も夢に紛れた。夢の中でも目が覚めても薄っぺらい今があった。あの頃のように、あふれだす記憶は無秩序に散らばり、昨日と七歳の記憶が混ざりあう。もうすぐキロワットオーバーでぱちんと消えるのだ、とサエコは思う。そして多分、もう何も思い出せなくなるのだ。

サエコは部屋の真ん中に立ち、長いこと十九体のぬいぐるみを見つめていた。古ぼけたぬいぐるみたちはベランダから差しこむ日をたっぷりと背中に当てサエコを見上げている。部屋は静まり返っていた。じっと見つめていると十九体がそれぞれ勝手にしゃべり始める気がした。十九の口で、サエコの薄められたどんな細かい記憶ももらさずに。サエコはそうっとぬいぐるみに近寄って、一体一体ゴミ袋に投げ入れた。

公園まで二つのゴミ袋を提げ、サエコは必死で歩いた。公園の木々は葉をすっかり落とし、いつもより広い透明な空にとがった枝を突き立てている。手入れのされた植え込みと、ゆっくり日を吸いこむ公園と、裸の木々と、その向こうの白い団地に囲まれて、ピンクのバスは堂々とそこに居坐《いすわ》っている。窓ガラスもタイヤもピンクのバスは、見慣れたまわりの光景を少しだけ歪ませ、じっと見つめているとまわりの音がすべてそこに吸いこまれていくように思える。汗が流れ、脇の下がひんやりと冷たかった。

顔を上げ、サエコはバスに向かって歩いた。埃《ほこり》だらけのバスに指を立てると、すっと線が流れる。乗車口に立ち、中を見上げる。ドアを押すと、それは簡単に開いた。サエコは二段の階段をゆっくりと上がった。小さく音楽が聞こえている。首を伸ばし、だれかいるのかと中を見回すが人のいる気配はない。

バスの中は薄暗く、懐かしい匂いがした。おばあちゃんのうちの匂いや、トモコの家の匂いや、平中鉄男の体臭や、湿った雑誌の匂いや、そんなものがごちゃ混ぜになったような匂いだった。二列に分れた座席の真ん中に立ちじっと中を見つめていると、次第に目が慣れてきてバスの中が明るくなる。ビニールのシートはすべてぼろぼろで、ところどころ破れ黄色いスポンジをはみ出させていた。どのシートにもピンクのカバーが掛けてある。サエコは一つ一つの席を覗《のぞ》きながら一番後ろまで歩いて行った。一番後ろにたどり着くと振り返らず長い座席にぬいぐるみを並べた。ぬいぐるみはきちんと一列におさまって、窓辺にいたときのようにサエコをじっと見ている。

「ありがとう。ちょうどもう行こうって思ってたの」

いきなり耳の後ろで声がして、サエコは手を引っこめた。真ん中のキリンがぽとりと足元に落ちる。おそるおそる振り返ると実夏子が立っていた。サエコは反射的に笑顔を作り、

「でしょう？　そう思ったから、実夏子さん体力なさそうだし、運んでおいてあげたらどうかなって思って。お役にたてて何よりです。じゃあ」

とむりやり文章を組み立て急いで踵《きびす》を返した。実夏子は柔らかくサエコの手を握り、に

っこりとアンバランスな笑顔を見せる。

「大丈夫よ、まだ出発しないから」

そう言ってサエコの手を取ったまま座席に坐らせた。サエコは実夏子の顔を見ることができず、外の光を吸いこむフロントガラスをじっと睨《にら》んだ。座席の裂けたビニールがちりちりと脛《すね》に当たった。

小さく流れる音楽は、二人のすぐ後ろにあるスピーカーから流れていた。テープが悪いのかスピーカーが悪いのか、耳に届く音はノイズだらけの耳障りなボブ・マーリィだった。実夏子の手がゆっくり解かれていくのを感じながらサエコは目を閉じた。瞼《まぶた》の裏がちかちかと点滅を繰り返す。静かなバスの中で、音楽はだんだん大きく聞こえ始める。まだ生んだわけでもないのに、おなかの中に子供がいるという事実が、急に遠いことのように感じられた。くすぐったくて頬に手を当て、サエコは自分の目から涙が流れていることに気付いた。スピーカーをがりがり引っ掻《か》きながら回るテープが何かのガスでも発散しているかのように、サエコはほろほろと涙を零《こぼ》した。軽いつわりに似た、感情の伴わない涙だった。その場所は適度に暖かく薄暗い温度に包まれ、意味もなく涙を流していると、不思議とサエコは安心した。

「あたしもう行くけど、一緒に行く？」

ささやく実夏子の声にサエコは目を開けた。どこからか集まってきた人々が無言でバスに乗りこみ、次々に座席についているのが目に入った。老いた浮浪者もいれば、若い男の子もいる。水滴でにじんだサエコの目には、乗りこんでくる人々が全員平中鉄男にも見え、またタクジにも見えるのだった。

「ねえどうする？」

覗きこむ実夏子に急いで首を振り、どこへ行くんですかと聞いたが声はかすれ、実夏子は笑っているだけだった。

すべての席は人の後ろ姿で埋まった。サエコは立ち上がり、シートの間をそっと歩いた。だれもサエコを見上げない。サエコはゆっくり乗車口を下りた。

名前を呼ばれて見上げると、一番後ろで実夏子が手を振っている。窓を開け、キリンをぽいと投げ出す。

「あげるわ」

コンクリートの上にころころと転がる黄色い塊をサエコはじっと見た。ドアはすっと閉まり、やがて大袈裟《おおげさ》な音でエンジンをふかすと走り出した。剝《は》げかけたピンクの窓から本当にタクジが見えた気がして、サエコは思わず走り出す。バスは止まらずに走り去った。耳の奥でボブ・マーリィがざらざらと残っていた。タクジが乗っているはずはなかった。

今日は会議だと言っていつもより早く起き、起き抜けから絶好調で「だいたい会議なんてものは上のやつらが無能だって証明するだけのものだな」と言い、そしてネクタイをしめて会社へ行ったのだ。

　サエコは日向《ひなた》の中にぽつんと落ちたキリンを持ちあげた。それもずしりと重かった。サエコは手の中に納まる黄色い塊をじっと見つめた。腹部の縫い目を何度か手でなぞっているうちに、サエコはキリンのおなかに顔を近付けて、勢いよく歯で糸を噛《か》み切った。ぶつぶつと割れていくおなかから出てきたのは真っ黒い髪の毛で、サエコは思わずキリンを放り投げた。黄色い布切れはどさりと地面に落ち、黒い髪の毛が空を舞う。日の光の中でそれらはきらきらと光って地面に降った。

　サエコは地面に坐ったままそれを見ていた。急に緊張が解けてサエコは小さく笑った。バスの消えた公園は以前と何も変わらず穏やかに日を浴びている。乾いたコンクリートに手をついて立ち上がり、スカートを払い、破れたキリンに背を向けてさあ帰ろうと思う。足を踏み出す段になって、サエコはどこへ帰ろうとしているのかわからない自分に気が付いた。どの部屋へ？　どの時間へ？　どの現実へ？

　そうだタクシだ。サエコは足を速めて公園を横切り、電話ボックスへ飛びこむ。会社のナンバーを思い出しながらゆっくりと押し、かすかな雑音とコールを聞いた。家のものですけれども立花はおりますでしょうか。サエコは言うべき台詞を口の中で繰り返す。伝えること、おねえさんが出て行ったこと。今日は何時に帰るのか。夕食は何がいいか。子供は順調らしいこと。コールは鳴り続き、だれも出る気配がない。コールが切れてハイと答える声が一体だれのどんな声なのか考えながら、サエコは耳の奥でコールの音を聞き続けた。

昨夜はたくさん夢を見た

二十年間生きている間に十人の人が死んだ。世の中ではその何万倍もの人が死んでいったのだろうけれど、私が死に顔を見たのはきっかり十人だった。

得意な行事は、という質問があったとしたら、水泳大会でも球技大会でもなくお葬式だと、私は真っ先に答えるだろう。

水泳大会では競技場から出ちゃいけないというきまりをすぐ忘れ、昼休みになると抜け出してパンを買いに行き、水着を濡《ぬ》らすことなく一日を終えた。球技大会でも卒業式でも同じように、私は怒られ、立たされ、出場停止になったりした。

しかしお葬式に限ってそんなことはなかった。ご飯をいつ食べてどこに坐《すわ》っていればいいのか、泣くとしたらどこで泣くのが一番いいのか、読経のあとは何をすればいいのか、必ず最後に開かれる宴会ではだれの隣に坐れば安全に食事ができるのかまで、覚えきっていた。

水泳大会や卒業式と大きく違うことは、お葬式の場ではわりあい何をしても許されるのだった。酒を飲んで演歌を歌いだしても絡みはじめても、必ずだれかが的外れで優しいフォローをしてくれる。だから私はそんなに親しくなかった人のお葬式でも必ず前へ進み出て、棺《ひつぎ》に花を並べながらそこで死んでいる人の顔をじっくりと眺め、無遠慮に触れた。死んだ人の表情は微妙に違うが、みんなどこか似ていた。大切な人もよく知らない人も、同じように固い殻だった。

花に囲まれた死に顔はどこかぼんやりして、どんなに大切な人を失っても、私を泣き損ねさせた。

1

段ボールに詰まった中古盤レコードをひっぱり上げ、一枚一枚のろのろと磨く。

店はレストランの地下にある。壁や床はどす黒い茶色でひどく薄暗い。時々太陽を完全に忘れる。どこからか入りこむフライのにおいと遠い騒がしさで時間を思い出す。

三枚磨くともう飽きてしまい、私はしゃがみこんで段ボールの中をあさる。その中にスモーキー・ロビンソンがあるのを見つけひっぱりだし、プレイヤーにかけた。からからとドアに付いたベルが鳴り、いらっしゃいませと顔を上げる。イタガキが立っていた。

「いつ帰ってきたの？」

「うん、さっき」イタガキは答える。「何時に終わんの、バイト」

「あと十五分くらいでえみちゃんが交代に来る」

「じゃ待ってる。お茶でも飲もうよ」

イタガキは言い、ロックのタ行を見始める。

「ねえどこ行ってたの」

カウンターから身を乗り出して聞いた。

「青森」

「だれと何しに？」

「ヒカルと、温泉入りに」

「ヒカルも一緒だったんだ、二人とも急にいなくなっちゃったからさ、みんな心配してたんだよ」

イタガキの手はタ行からナ行に移る。眼鏡をかけた男が入ってきて、無造作にバロック名曲集を買っていった。店長は何も言わず奥から出てきて、私の磨いたレコード盤をチェックし始める。五時きっかりにえみちゃんはこんにちはとあらわれた。

「じゃ失礼します」

「お疲れさん」

店長とえみちゃんが手を振る。私はイタガキと外に出た。背中でスモーキー・ロビンソンがとぎれて騒々しいジャズに変わった。

外に出るとまだ太陽は活躍中で、むっとした空気が押し寄せる。ガード下を潜ると轟音《ごうおん》が響き、あたりが縞々に流れた。

「イタガキ暇なんでしょ、デパート一緒に行ってよ、靴下買いたいんだ」

「何か変わったことあった？」

「何も。どうだった温泉」

「ああ、よかったよ」

あんまり暑いので地下に入った。イタガキは黙ってついてくる。真っ白い壁に囲まれた地下道を進んで行くと段々人が増え、イタガキがはぐれないか私は時々振り返りながら歩いた。

靴下売り場は六階だったのだが、まず地下入り口から入ったのが失敗だった。丁度おなかが空《す》いていたので目の前に広がる食料品売り場はパラダイスに思え、私はイタガキの存在を完全に忘れ、あっちこっちのショーウインドウを眺め回し、駅弁大会の幕の内や「お肉屋さんのコロッケ」を買い求めた。やっと気が済みエスカレーターに乗るときにイタガキを思い出し、そっと振り返った。イタガキは黙って私のさげたビニール袋を見ていた。

一階でエスカレーターを乗り換えるとき、「ちょっとごめん」とイタガキに告げアクセサリー売り場に行った。さんざん迷ってピアスを買い、またエスカレーターに乗る。

「昨日給料日だったんだ」

と笑ってイタガキが不機嫌になっていないか確かめ、

「そうなんだ」

と一応答えが返ってきたので安心し、二階のブティック街にも立ち寄った。イタガキはおとなしく付いてきた。

そんなふうにあちこち寄り道してやっと五階まで上がってきたとき、ピアノ演奏の蛍の光が流れ出した。

「えっ」私はイタガキを振り返る。「もう終わり、どうしよう」

イタガキは今度こそ答えない。いよいよ機嫌が悪くなったのかもしれないと、私は靴下を諦《あきら》めた。

「ごめんねイタガキ、ひっぱりまわして。あ、そうだ、レストラン街は九時までだからさ、上で休んでこうか、帰ってきてすぐだから疲れたでしょ」

早口で言い、さっさと上りエスカレーターに乗りこんだ。

メニューを広げ、

「てんぷら定食食べようっと」

とつぶやいたとき、イタガキはいやに冷たい声で言った。

「食べるの？　さっき下で買ったものはどうすんの」

「ああそっか。いいよ夜食にすれば。てんぷら定食一つと、イタガキなんにする？」

「ビール」

店員がメモして立ち去ると、私は彼の不機嫌に触れないようにしゃべり始めた。

「変わったことは確かにないんだけどさ、香子がね、最近すごいらしいんだ。心の病がひどくてね、みんな逃げ回ってる。この前なんてバイト先にマリコが逃げこんできたんだよ、急に香子が訪ねてきてふたりっきりだから抜け出してきた、一緒に帰ってって」

てんぷら定食とビールが運ばれてきて、私は箸《はし》を割った。腹が膨れれば機嫌もなおるだろうと、まだ手を付けない料理を、食べる？　と差し出した。イタガキは首を横に振る。

「もしかして旅行行ったからお金ないの？　奢《おご》ってあげてもいいよ、給料日だったから」

いらない、とイタガキはまた首を振る。勝手にしろと一人で食べ始める。海老《えび》天を一匹食べたところで、イタガキが急に口を開いた。

「生きていく上でぴーんと張ったもんが、おまえにはないよ」

「何だって？」

私は顔を上げた。ついたてを挟んだ隣の席で、女たちの下品な笑い声が上がった。それが止むのを待って、イタガキはもう一度言う。

「生きてく上でぴーんと張ったものがおまえにはない」

「やっぱ怒ってんの？」おそるおそる聞く。

「怒ってはないよ。呆《あき》れてんだよ」

「どういう意味だか、私には……」

「靴下を買いに来て」イタガキは更に声を上げた。口のはしにビールの泡がついていた。

「靴下がどうでもよくなるこの事態は、おまえの人生を象徴してるよ」

「はあ」

「やりたいことがうすぼんやりしててあっち見ーこっち見ーしてるうちに何でもどうでもよくなってんだ。どうしてもあれをやりたいとか絶対こう生きたいとか、全然ないんだ。全然。へらへらへらへら流れるように生きてて、気がついたらそのまんま棺桶《かんおけ》の中だ」

言いながら、自分の口をつく言葉に「言いえて妙！」と感心しているみたいに、彼は顔を赤くしてどんどん言葉をつぎたした。泣きたい気分になった。私だって靴下が買いたかったのだ。全部穴があいたり洗濯を忘れたりして、明日穿《は》いていく靴下さえもうないのだ。しかしたとえば四階の自然素材の店先を通ったとき、石鹸《せっけん》が切れていたことも思い出してしまい、ちょっと寄ってみただけなのだが、たかが石鹸に何百も種類があるのだ。瓶詰のものから和紙に包まれたものから果物の香りのものから百パーセントミルクのものから……どうせ買うなら一番欲しいものを買いたいじゃないか。こんなちっぽけな買い物のことを人生と絡めて、全部私が悪いみたいに言って、私は箸を投げ出して泣きだしたかった。そんなことをしたら何を言われるかわからないので、わざと鼻で笑うように言った。

「イタガキ、どうしちゃったの？　青森でなんかあったの？」

「何もない。ずっと言いたかったことを言ってるだけだ。だいたい去年だって、大学行くって言うから教えたんじゃないかよ、全部落ちてだめだったってんならわかるよ、でもなんだ？　受験シーズンに、あんたスキーに行ってただろ、それもスキーするならわかるよ、一日中かまくら作ってたじゃないか、馬鹿な子供みたいに鼻水垂らして」

彼は勢いよくビールを飲み干し、もう一杯注文する。私は泣きたいのを通り越し、段々腹が立ってきた。言い争いはしたくないので、イタガキの肩越しに見える空を睨《にら》みつけた。薄い群青の空に細い月がひっかかり、近くに一つだけ星が光っていた。街中が何かの指令を受けたみたいに一斉にネオンを灯《とも》した。

ぺらぺらとまだしゃべる彼の顔を見ずに、私は心の中で毒づいた。何だ、この薄っぺらなイメージ野郎が、よく言うよ馬鹿！

自分の言葉にこそ言いえて妙！　と感心した。イタガキは完璧《かんぺき》なイメージ野郎だった。

彼は決して流行に敏感な人ではなかった。世間でクラブがはやっていようが長髪がはやっていようが全く我関せずなのだが、どうやら彼自身の中に流行があるらしかった。そのささやかな流行に忠実に、彼はイメージで自分を変えた。

たとえば私が彼に出会ったときは、彼は身も心もセックスドラッグロックンロールだった。その当時彼の下宿を訪ねると、吐きそうになるほど草のにおいが立ちこめ、真っ白い壁に「ＳＥＸ＆ＤＲＵＧ＆ＲＯＣＫ’Ｎ’ＲＯＬＬ」「ＬＯＶＥ＆ＰＥＡＣＥ」といった標語と一緒に「ＪＩＭＩ　ＨＥＮＤＲＩＸ」とペンキで書かれていて、そのカッコ悪さにくらくらした。彼はギターすら弾けないのだ。それから天才ダリを気取り、ラスタになりエコロジストになりモッズになった。そのときはベスパがアパートのわきに止めてあった。見せびらかすように置いてあったベスパは一週間で盗まれた。彼は「さらば青春の光」の主人公よろしく酔っ払いに殴りかかったり駐車中の車のフロントガラスを割ったりしていた。つまりそんな人なのだ。彼の優しい福島の両親は毎月新鮮な野菜とお米を送ってくる。盗まれたベスパぐらいにしか、彼は怒りの対象が向けられないのだ。

一週間の不在のあと、土産を渡すわけでもなく私相手に説教を始めるイタガキに、私は何度イメージバカと言いたかったことか。しかしそう言ったところでどうなるのか。互いに欠点を引きずり出しててんぷら屋の蛍光灯の下に晒《さら》し、ここぞとばかりに罵《ののし》りあっても、私たちはたかがデパートの片隅にいる痴話喧嘩《げんか》中の一組のカップルに過ぎないのだ。

「言いたいことわかってもらえた」

イタガキはぶすりとして聞いた。私は窓の外から目の前のイメージ男に視線を合わせ、やっぱりぶすりとうなずいた。

思えばあのときからイタガキは変だったのだ。あのとき口のはしにビールの泡をつけたイタガキに「このうすっぺらやろう」と言ってなくて本当によかった、と思っている。

私たちはいつも何らかの遊びに飢えていて、何か面白いゲームがあると何を置いてもそれに熱中してしまう。十人足らずの友達の間にもはやり廃りがあった。ウノ系のカードゲームがはやったときは、全員収容率の大きいマリコかイタガキの家に集まり、眠らずにカードを切っていた。だれかに連絡を取りたいときに電話はまるで役立たずで、どちらかの家に走っていかなければならなかった。ウクレレがはやったときもあった。私たちが全員ウクレレを持っているのはそのためである。みんなウクレレを持って歩き、歌いながら会話をした。一番のめりこみやすいのがイタガキで、指に血豆ができるほど練習し、さすがに即興の会話歌も素晴らしい出来栄えだった。たまたま町中でやっていてお金が投げられたこともあった。電車賃にしかならなかったが、イタガキはそれでラーメンが食べられた。

そんなイタガキなのに、今私たちの間でどんな遊びがはやっているのかにも興味を持っていないように見えた。モノポリーをするのに面子《メンツ》が足りないからとイタガキの家に電話をすると、必ず彼は「ちょっと忙しくて、ごめん」と答えた。何が忙しいのか、彼はいつも家にいる。家から出てこないのでさすがに心配になり、デパートでの怒りもおさまってきたので私は彼を訪ねた。九時からマリコの家で焼き肉パーティ兼モノポリー大会があるのでそれに連れ出すことにした。

「何してたんだよ、旅行から帰ってきてさあ」

「まさかおまえすっげえいいモン隠し持ってんじゃなかろうな」

「あとで一問百円クイズ大会やろうよ、クロがクイズボード買ったんだよ」

久しぶりにあらわれたイタガキに、みんな焼き肉をつついていた箸を休めて言葉をかける。イタガキはいつもどおりみんなの中に坐《すわ》りこみ、

「もう夏っすね」

ととんちんかんに笑った。マリコの部屋はホットプレートから上がる湯気と煙草の煙でスモークをたいているように白い。音量を絞ったテレビでは若い俳優が年増の女優を押し倒している。クロと原田君は画面に見入り、ステレオからフルボリュームで流れるＪＢに合わせて身体を揺すっている。マリコは母親のように、すぐからっぽになってしまうプレートに肉や野菜を載せている。よそ見をしている原田君の箸の先から、野菜がたれをぽて

ぽてと落とし、油のとんだテーブルを更に汚す。きんちゃんが私とイタガキに缶ビールを差し出し、モトは煙草をくわえたままレコードに合わせてベースを弾いている。隅に坐っていたヒカルが、窺《うかが》うようにイタガキを盗み見ている。来週あたりに海に行ってみようよ、クロの買ったバンでさ。何か面白いビデオ見た？　そうそう温泉どうだったの、ヒカルとイタガキのことだから、温泉町の女買って遊んだんじゃねえ？　そりゃ買いかぶりすぎだな原田。海はまだ早いわよ、あのバンいくらだったの？　なんか暑いぜ、クーラー壊れてんじゃねえマリコ。ばらばらに言葉が行き交う。イタガキはただ笑うだけでしゃべらなかった。ホットプレートが仕舞われる頃、

「用事思い出した、ごめん帰る」

とイタガキは立ち上がった。みんな一瞬黙り、レコードもちょうどよく途切れ、おんぼろのクーラーがからから回る音が響いた。

「あ、そうなんだ、用があるんじゃしょうがねえよ」

思い出したように原田君が言う。

「また今度、電話すっからさ、今度遊ぼうね」

「うん、じゃ」

いかにも穏やかに笑うと、イタガキは背中を向ける。私はぼんやりと煙の中に消えるイ

タガキを見つめていた。

「何やってんだ、カオルついてけよ」

ヒカルが身を乗り出して耳打ちする。

「え、でもクイズやるんでしょ、ボード買ったんでしょ」

「馬鹿じゃないのあんた、イタガキ変だよ、心配だから一緒に行きなさいよ」

私は飲み掛けのビールを持ったまま、じゃあとイタガキのあとを追う。

昼間はあんなに暑いのに、夜の空気はすっきりと涼しかった。住宅街は人通りがなく、白い街灯だけがずらりとどこまでも等間隔に並んでいた。どの光にも無数の虫が集まり、それぞれ模様を描いている。イタガキはまるで冬みたいにポケットに手を突っ込み、背を丸めて歩いて行く。振り返るとマリコの住むマンションがたくさんの光る目で私たちを見下ろしていた。

「何か変だよ、イタガキ」

背中に向かって言った。

「うん、そうなんだ」予想に反してイタガキは素直に答えた。

信号待ちをしているとき、イタガキは前を見たまま話しだした。

「言わなかったけどさ、青森でヒカルと夜空見てたんだ、そしたら地球が動いてんのがはっきりわかったんだよね、プラネタリウム見てるみたいに。ヒカルのやつが、知ってる? 地球って一秒に五キロメートル動いてんだぜって言うんだよ」

車が一台も通らないのにイタガキは渡らない。私はうなずきながら彼の隣に立っていた。じっと下を見つめているると白い横断歩道がするすると流れて行くように思えた。

「帰ってくる電車の中で、身体の中に虫が入っちゃったみたいな嫌な気持ちになってさ、気のせいだろうと思って、顔見せにあんたのバイト先行ったんだよ、デパート行ってさ、そしたら気のせいなんかじゃなく、虫が動き回るんだ身体の中で。一匹だけじゃなくて何匹も何匹も、ものすごい速さで。びりびりびりびり、何してんだ早くしろ早くしろよって」

信号はまだ変わらない。青いポリバケツめがけてビールの缶を投げた。缶は大きく弧を描き、電柱にぶつかって命中した。飛び出た液体が銀色に光って消えた。

「いつもみたいに、学校から帰ってきて坐ってテレビつけて、煙草に火つけてぼうっとしてると、動き回るんだ虫が。ああ嫌だって思ってでかけて人混みの中に入っても同じなわけ、叫びそうになっちゃうからさ、部屋に帰って本読むんだ、すっげえ集中して」

「大食い大会とか見てもだめなの?」

「神経張りつめさせて、食ってる人の睫毛《まつげ》数えるように見てたら少しは平気だけど」

笑わせようとして言ったのに、イタガキは姿勢を変えず真剣に答えた。

「あっ」

「何だよ」イタガキは飛び上がって驚く。

「この信号変わらないはずだよ、夜間押しボタン式だもん」

私だけが大声で笑った。笑い声が空しく夜空に流れた。空車ランプのタクシーがそれを吸いこんで走って行った。


以前友達の間で病院がはやったことがあった。ウクレレの次あたりだ。病院、というほど大袈裟《おおげさ》なものでなく、簡単なセラピーみたいなものだった。私たちは何となくビョーインと呼んでいた。それは郊外にあり、私たちはピクニック気分で電車を乗り継いだ。大学をすべったり失恋したり現実と折り合いがつかなかったり、そんなときに苦しかったり眠れないのは当たり前なのだが、友人たちはビョーインに行った。行ったら行ったで先生に笑われたりビタミン剤をもらうだけなのだが、それでみんな安心していた。

病院の流行期間は一か月足らずだった。もちろんだれもが深刻な病気ではないし、私たちの悩みなんか一か月もすれば消えて当然のものだったけれど、一番の原因は友達の香子だった。香子は本気で病気にのめりこんでしまったのだ。

そのときのことを思い出し、横で眠るイタガキを起こし、

「ビョーインへ行く？」

と聞いてみた。

「嫌だよ今更。おれ病気じゃないもん」

「そうだよね」

じっと見つめていると窓ガラスがどんどん白く光りだす。もう朝が来ていた。動かないイタガキの右半身を見た。手首や首筋に透けたこの血管の中を、小さな小さな何百匹もの虫が蠢《うごめ》いているのだろうかと見つめた。手首を通り迷路状の手の甲を駆け回り指先でユーターンして二の腕を這《は》い上がり脳味噌《みそ》へ行って信号を送るのか。

「考えて考えてちょっとわかったのはさ」イタガキは暗闇にささやくように言う。「身体の中に芯《しん》があって、それがものすごい勢いで身体から抜け出そうとしてるんだけど、身体が根っこ張っちゃって動かないんだ、それで虫が這いずり回るんだ」

イタガキの言葉を一言一言胸の中で繰り返した。奇妙なエコーを伴ってそれは響いた。ゆっくり三回深呼吸し、天井を見上げて私は言った。

「私ね時々、全部嘘みたいに思うことある。自分が今いて見てる景色とか、しゃべってる相手とか、全部ゆらゆら揺れてうすーくなっちゃったりするよ。だれだってそうでしょ、

イタガキだってそんなふうなんでしょ、だれだってあるよそんなこと。しばらくすれば普通になるよ」

イタガキは黙っていた。

顔を知っている十人が死んで、ものすごく好きな人も必要な人も死んだのに、何も変わらない。十人も死んだのに親戚《しんせき》は減るどころか葬式ごとに新しい顔が増えている。一日二日だけ泣いたり騒いだりして、次の日か、次の次の日はいつもどおりなのだ。自殺した同級生が私に貸していたレコードや父の歯ブラシや叔母《おば》のカーラーや、そういうものが、だれかがその手で処分しないかぎり存在し続けるのをふと見ると、ぼうっとしてしまうのだ。それらを使う人も必要とする人ももういないのに、きちんと不在を守るように息を潜めているのだ。ぼうっとした意識の中で、最初からだれもいなかったんじゃないか、あるいはみんなどこかに隠れてるんじゃないか、いつかみんなが忘れた頃にレコードや歯ブラシやカーラーを取りに戻ってくるんじゃないか、私は真剣に考えこんでしまう。イタガキにその話をして、大丈夫たいしたことないよと言いたかったが、言えなかった。人に説明したり納得させたりするために人の死を持ちだすのは、とても卑怯《ひきょう》な行為だと私は知っている。それはとても気恥かしい真似《まね》なのだ。十人の死のうちに私はそれを学んだ。あんなにも簡単に人は死んでしまうのに、死の意味はひどく重いのだ。

2

アルバイトに出かける直前に電話がかかってきた。川崎のおばさんからだった。

「今度ね、おはらいをやるんだけど来ない？　かおるちゃん」

受話器の向こうでおばさんが言う。

「おはらい、ですか？」

「そうなの。今までずっと功さんがそういうのは嫌だって反対してたからできなかったけど、本人が死んじゃったでしょ？　だっていくらなんだって多すぎるもの、特にここ二、三年。ものすごく信頼できる人を紹介してもらったの。家でやるんだけど、ちょっと遠いけどね、来れるならいらっしゃいよ、今度の日曜」

このおばさんは何人死んでも死というものに不慣れで、もう何年も何年もずっと怖がって暮している。何もない日に喪服を買うなとか、夜中に爪を切るなとか、たくさんの戒律を守って暮している。もう五十をとうに過ぎているのに霊柩車《れいきゅうしゃ》とすれちがうときは必ずすべての指を隠すのだ。お葬式にも慣れないらしく、遠縁の人が死んでも大泣きするし、足がしびれるとわかっているのに読経のときは足を崩さず、決まって出棺のとき転んでしまうのだ。

「バイトが入ってて、どうしても休めないんです、誘ってくれてうれしいんですが」

「ああそう、残念ねえ、じゃあなたのぶんも祈っとくから」

おばさんは心の底から残念そうに言った。受話器を置いて部屋を出た。

地下に潜りこんでしまう前に、遠回りをして存分に太陽を浴びた。日毎に暑くなってくる。夏はすぐそこまで来ている。夏が来るまでにはイタガキはいつもどおりになっているだろう、そしたらクロのバンで窓を開け放して、埃《ほこり》っぽい風を吸いこんで大騒ぎしながら海に行こう。

午前中は中古盤の値札貼りをした。店長がメモ書きした値段とレコード盤のランクを、値札にスタンプしていく。それが終わるとまた中古盤磨きだ。入ってくる客はみんな額に汗をはりつけていて、汗が引っこむまでレコードを見ていく。店長は知り合いと冗談を言いながら笑っている。フライのにおいが流れ込んでくる。もう昼だ。マディ・ウォーターズが歌い終え、ことりと針が戻る。私はちょうど手にしたバッハをプレイヤーに載せる。

磨き上げたレコード盤に一筋の大きな傷が目立つ。傷のまわりを丁寧に磨きながら、あの夜イタガキが言った言葉を思い出す。びりびりびりびり、何してんだ早くしろ早くしろよって、そいつらが身体の中を這い回るんだ。レコード盤に歪《ゆが》んだ私が映る。靴下を買いに来て靴下がどうでもよくなるこの事態はおまえの人生を象徴してるよ、イタガキの言葉は数珠玉みたいに結び付く。その数珠玉がことりと胸の中に落ちると、聞き慣れた曲の合間に、ふと昔の私が覗《のぞ》きこんで笑う。

何やってんのあんた?

腰に手を当てていかにも偉そうに言いのける彼女は、天才だった頃の私だ。

かつて私は天才だった。私の弾くピアノをだれもがうまいと言った。当たり前だ、四歳のときからやってたのだから。それでもいろんな人が、優雅なピアノの先生が、年老いた音楽教師が、母親が、クラスメイトが、発表会に来ていただれかの親が、ありとあらゆる言葉で私を褒めてくれたから、私は簡単に自分は天才なのだと信じた。おちゃのこさいさいで音大に行けて苦労もなくピアニストになれるタマだと思っていた。ところが高校二年の終わりになって、音大に行くにはそれなりの先生についてレッスンしなくてはならないと言われた。いったいなぜにこの天才の私が? とは思ったものの、私と母は、「我こそ天才」の共通理念を持ってピアノの先生の紹介でG大の教授を訪ねた。

教授の家には様々なデパートの包み紙にくるまれた品物が山と積まれていて、彼女は私たちの持って行ったゴディバをつまらなさそうにぽんと山のてっぺんに置いた。えらくおいしい紅茶を飲んだあとで、じゃちょっと弾いてみて、と教授は言った。私は得意満面でグランドピアノの前に坐《すわ》り、「ゴディバじゃ不満か、クソババア」と気合いを入れ、天才たる演奏を始めた。三分もしないうちに「もういいわ」と彼女は言った。三分足らずの私の演奏に彼女は素晴らしいわと驚かないばかりか、平然とした顔で思わず紅茶を戻しそうになったほど高額なレッスン料を説明しだした。

私は天才じゃなかったのだ。

ならばせめて秀才であろうと人は頑張るのだ。しかしそのとき私はへなへなと腰が砕けそうだった。十年以上私は天才だと信じて生きてきたのだ。それが何だか全部他人の人生だったような気がした。これを話すと一人残らず大爆笑をするのだが、そのときの私は深刻そのもので、帰り道が歪んで見えてまっすぐ歩けなかった。母がタクシーを拾ってくれた。現実からすとんと抜け落ちたみたいだった。いや尻餅《しりもち》をついたところが本来の現実だったのだが。

私はあのとき自分の弾いた曲を始めるレコードを止め、スライをかけた。

今の私を不思議に思うのは、集会みたいに開かれる葬式に集まった親戚たちだけだ。

今はいったい何をしているの？　ピアノは止めちゃったの？　音大に行ってるんだとばっかり思ってたよ。

私がぱたりとピアノを弾かなくなったときは母がとりなしてくれた。

「腱鞘炎《けんしょうえん》になっちゃって、その後遺症でね、長時間弾いてられないの。ほらこの子ピアノしかやって来なかったでしょう、今から進路変えると大変なの」

その母もいなくなってしまったから自分の身は自分で守らなくてはならなくなってしまった。彼等は何もしていないふらふら生きているような若人が大好きなのだ。なんたってそれだけで一時間は会話が持つ。

「不幸が相次いで、何だか気が抜けてしまって。受験どころじゃないんです」

そう言えばある人たちはそうよねえ、大変だったものねえ、と同情的に言ってくれる。時々うす汚い中年男が赤い顔を向けて口をはさむ。

「今の若いやつは呑気《のんき》なもんだ、おれたちの頃は遊ぼうにも時代が許しちゃくれなかった、しかしあれだね、それで必死になって生きてきたんだから幸せだったね、あんたたちは恵まれてるようで不幸だね、よく何もせずに遊んでられるよ、おまえあれか、新人類ってやつか、情けない話だねえ」

そうすると周囲のおやじたちが軒並み同意して、若者批判と苦労話が展開される。その寄り集まった男たちの息の臭さに顔をしかめると、男の妻がにじり寄ってきて申し訳なさそうに笑う。

「ごめんなさいねえ、普段はこんなに飲まないのに、あの人もさみしいのよ、また兄弟が減っちゃったから」

女は言い、馬鹿面下げて遊んでたって年頃になりゃ貰《もら》い手がつく、いくらだって働き口はあるしな、おっとそりゃまあちゃんどういう意味だい、あれおれなんかひっかかるようなこと言ったかい、ゲハハハ、と笑う泥酔の男を見て思う。何がさみしいだこんちきしょう。さみしいならあんたの兄弟の殼にしがみついて泣けばいい、棺《ひつぎ》の中で添い寝して一緒に炎に包まれればいい。

酒に酔った彼等が何を言おうが、そんなふうに心の中で毒づいていればすっきりするが、今日みたいにひょっこりあらわれるかつての自分が「何してんのさ」と聞いてくると私はどきどきしてしまう。現在進行を続ける正しい現実からひょっと抜け落ちてしまったようで。タクシーに乗ったあの帰り道みたいに。

「行ってきていいよ、ご飯」

店長の声にふと我に返った。私はちゃんと現在進行中の現実の中にいた。店長の友達は帰っていたし、スライはA面が終わっていた。磨きかけのレコードをジャケットに戻すと、遅い昼食をとりに外に出た。階段から見上げると、出口が透き通るくらい光っていた。天国への階段ってこんなんだろうか。そう思いながら光に近づく。目の前にあらわれるのは見慣れた蒸し暑い景色だと知っていながら。

昼食をとり終えてもまだ三十分余っていたので、ゲームセンターで時間をつぶした。耳にまとわりつくコンピューターミュージックと子供たちの笑い声の合間を、ひんやりした空気が潜り抜けてくる。画面を睨《にら》みつけ、向かってくる敵を撃ち続ける。

「今休憩中?」

明らかに私に向かって放たれている言葉に顔を上げると、とたんに私の戦機が爆発し、ゲームオーバーの文字が浮き上がる。ヒカルが向かいに坐っていた。

「終わっちゃった、ごめんな」

「何やってんのヒカル、どうしてここわかったの」

「ガラス張りじゃん。カオルんとこにレコード処分しに来たんだけど」

ヒカルは足元の紙袋を指差し、冷たい缶コーラを二本、画面の上に置いた。私はポケットを探って百円玉を取り出し、もう一度機械に滑りこませる。賑《にぎ》やかな曲が始まり、戦闘機が飛び出してくる。向かい側でプルタブを開ける音がした。

「ね、青森でさ、本当に温泉入っただけ? なんかしたんじゃないの二人で」

ゲームを続けながら聞いた。画面に映ったヒカルはコーラを一口飲む。

「女買うとか?」

「違うよ、レコード売りに来る人がそんなお金持ってるわけないでしょうが。イタガキ、帰ってきてから目に見えて変じゃん」

「ああ」

「ああじゃなくてさ、何か隠してるでしょ、教えてよ」

「内緒にする？」

「うん」

しばらく黙ってヒカルは、目まぐるしく動く画面を見つめていた。どうせそれを言いに来たのだろうと私はのんびり構える。

「いつだったか新聞に、死の体験ツアーメンバー募集中って出てたんだ」

「え？　何？」

思わず顔を上げてしまう。あっという間に戦機は爆破され、二台目が飛び出す。

「死の体験ツアー。青森でね、あったのそういうイベントが。今どっかではやってるらしいじゃん、リラクゼーションっちゅうの。その延長で、特殊な水を張ったカプセルみたいのに入って、完全な浮遊状態にして、ものすごく無に近い状態にするっていうのができたらしいんだ、無限の無を体験してみませんかってやつで」

「やったの、あんたたち二人で？」

「いや。イタガキだけ。おれもやるはずだったんだけど、途中でやんなってさ、やんなくてもいいかなと思って辞退した。で、イタガキはやったんだそれ。終わってどうだったたって聞いたら、何も言わないんだ、海見に行こうって夜中言い出して、それについてとにかく一言も言わないわけ。気持ちよかったよって言ってたかな？　それからだよ多分、あんなふうになったの。その次の日にもう変だった」

「どうして？　死にたいとか思ってんの、彼は」

ゲームは完全に終わっていた。ヒカルは声を上げて笑った。

「違う違う。死の体験って、言葉の上だけのもんだよ。そのカプセルの中の無の状態がさ、もしかしたら死に近いんじゃないかって生きてる人間が勝手に言っただけでさ、実際そこに入れば三途《さんず》の川まで行けるのかって言ったら全然意味合いが違うわけ。死の体験なんて売り文句だし、それはおれもイタガキもよおくわかってんの。遊びだよただの。ほらイタガキってドラッグっぽいもの好きじゃん、雰囲気で」

「何があったの、カプセルん中で」

「だからわかんないよ。だけど、イタガキ何かに影響受けるとすぐ変わるじゃん、今回もそういうんだと思うんだ。だからあんまり心配しないでさ。何か別の新しいもん見つけたら、きっとすぐ忘れちゃうよ」

「世の中には変わったもんがあるんだねえ……」

プルタブを開けないコーラの缶はびっしり水滴を張りつけ、画面を濡《ぬ》らしている。死、という言葉と、いつかの夜イタガキが話した虫の話を結びつけようとした。とっかかりが何も見つからず、短すぎる糸を結ぶみたいにいらいらした。ヒカルは黙り、ちらちらと私を見ていた。

「ただの売り文句にせよ、死って言葉に反応しちゃったことは確かなんだよね」

しばらくしてヒカルが言った。騒がしさのあふれる中で、ささやくようなその声は不思議としっかり耳に届いた。

「どういうこと」

「月並みだけど、バイクで二百キロ近く出して飛ばしてるとき、このままふうっとぶっ飛んでっちゃったら気持ちいいかなって思うときあるじゃん。その気持ちよさってわかんないんだよ、ふうっとなんてそうそう行けないからね。わかんないから、もしかしたらこの世の何よりも、すっげえ気持ちいいんじゃないかと思ったりして」

「へえ、私バイク乗らないからそういう気持ちはわかりかねる」

「うん。――自殺したいとかね、そういうんじゃ全然なくて。たとえばね、死が川みたいなものだとして、森にさ迷いこんでへとへとで、きれいなせせらぎが聞こえてきて、何となくふらふらって歩いていって川べりに寝転がってしまうようなさ。そういうもんなのかな、そういうもんだったらいいなとか思うわけ」

ゲームセンターに似つかわしくない言葉はすべての音を吸いこんで私の耳に届いた。だれもコインを入れないゲームの画面は勝手に戦争を始めた。小さな戦機は次々と敵の要塞《ようさい》を爆破させていく。顔を逸《そ》らすと、ガラスの向こうの蒸れた景色がゆらりゆらりと白く光っていた。

「だからなんだってわけじゃないんだけど。イタガキだけがおかしいんじゃないってこと。たくさん来てたしね、そのツアーだって。香子みたいになってないだけまだましだよ。帰って来たらあいつますますひどくなってたね、自分はココロのヤマイだから特別扱いしなさいみたいになっちゃって。時間平気？」

時計を見た。休憩時間はとっくに終わっていた。私はコーラを持って立ち上がる。あんまり冷たいのでびっくりした。ヒカルと一緒にゲームセンターを出た。

彼が言った「ぶっ飛んで行った先の死」というのは哲学的だと思った。私は十人の死んだ人たちの顔を思い出した。十人分がまとまって、だれの顔でもない一つの死に顔を作っていた。それは決して哲学的ではなかった。

父は静かな人だった。時折この人は口がきけないのではないか、あるいは言葉を知らないのではないかと子供の私は本気で思った。父がたまたま何か一言言う場面に出くわしてしまうと私は驚いた。こんな声だったんだと驚いてしまうのだ。父はそのまま、何も言わずに死んだ。どんなに病気が悪化しても痛いとも言わず、夜の病棟をさ迷い歩くことで痛さを紛らわせていた。あの人のスリッパの音で眠れないと、たまたま入院患者の話を聞いてしまったとき、父の声を思い出そうとしてみた。

まるで恋人どうしのように私と仲がよかったヒロコおばさんは痩《や》せ衰えた上半身を持ち上げて言った。ねえかおる。元気になったら温泉に行こうね。元気になったらディスコに行ってみようね。元気になったら編物教えてあげるね。元気になったら一緒に水泳ならいに行かない。私はその言葉を聞くのがつらかった。この人は本当に元気になる日が来ると信じているのだろうか。それとももう現実から抜け出して夢の中で呼吸しているのだろうか。

妙子おばさんが倒れたと聞いてみんなが病院に集まると、彼女はもう死んでいた。医者が狭い病室で何か説明し、妙子おばさんの腕を持ち上げてすうっと人差し指を滑らせた。死んでいるはずの彼女の皮膚にはぞろりと鳥肌が浮き上がった。いまにも「なにすんのあんた」と起き上がりそうだった。しかし彼女は起き上がらなかった。

私のまわりであまりにも簡単に人が死んでいった。こういうもんなのと、笑ってしまうことすらあった。しかし、彼等が一番最期の瞬間に何を見て何を思ったのか私にはどうしてもわからない。わかるはずがない。時折焦がれるように知りたくなる。それはヒカルの言った「この世の何よりも気持ちいいかもしれない」ものを確かめたいのとは違う。私は死を知りたいんじゃない。彼等の見たものが何だったのか知りたいのだ。それがわからないからすべて嘘に思えるときがあるのかもしれない。ぼんやりと、彼等がどこかに隠れているように思えてしまうのかもしれない。イタガキは無に取り囲まれてそれを見たのだろうか。彼等がきっと共通して見た何かを、たった一人で見て、そして今までどおりの現実に帰ってきたというのだろうか。

パスポート、歯磨きセット、アルマイトのコップ、携帯用の筆記用具。その夜イタガキはそれらをグリーンの絨毯《じゅうたん》の上に並べ、

「旅に出る」

と言った。

「また？　どこ行くのよ」

「インド」

平然とイタガキは答えた。もう少しで笑い出しそうなのを一生懸命堪《こら》えた。インドとは。あまりにもイメージ先行のこの人にぴったり過ぎるじゃないか。

「笑っていいよ、自分でもなんかおかしいから」

イタガキは自分で笑っていた。

「いつ行くのよ」

「来週。本当は一か月先だったんだけど、キャンセルが出たから」

「来週」

「そう。でもそう決めたら少し落ち着いた」

「ふうん」

イタガキはそれきり黙った。私も黙って、並べられたパスポートや歯磨きセットを見ていた。何を言えばいいんだろうと考えてみた。そして思いつき、顔を上げた。

「いつ帰ってくるの」

「わからない。帰ってこないかもしれない」

「え？　向こうに居着いちゃうってこと？」

「そうじゃなくて、先のこと考えてないんだ。そこからどこかへ回るかもしれない。ビザが切れて帰ってくるかもしれないし、一年も二年も帰ってこないかもしれない」

「ああ、そうなの」

それから私たちはまた黙った。沈黙の間を白いカーテンがするすると揺れた。次は何を言えばいいんだろうと、また考えてみる。今度は何も思いつかなかった。

帰ってこないかもしれない。こうなるのを、何だか私は知っていたような気がした。

「怒る？」

イタガキは私を覗《のぞ》きこんで聞く。いつもどおりのイタガキだった。

「怒るって、何を？　どうして？」

「あ、いや、何となくね、勝手だなと思って、自分で」

「うん。でも、あんたの人生はあんたのものだし。勝手も何もないんじゃないかなあ。どんなに嘘っぽくても、どんなにイメージだけでもさ」

「嘘っぽいんだよなあ、確かに。でも行ってみれば嘘じゃなくなるわけで」

「そうだね」

それから私たちは何もしゃべらなかった。イタガキは手を伸ばしてCDプレイヤーをつけた。一曲目が始まり、二曲目になっていくのを黙って聞いていた。つぶれたような声が歌っていた。フライドチキンと、煙草とコーヒーを買って一緒に帰ろう、それとアイスクリーム。アイスクリームを忘れずに。

急にイタガキはボリュームをゼロにし、真剣な顔で私に聞いた。

「音が聞こえないか？」

私はしばらく耳を澄まし、何も聞こえないと答えた。イタガキは声を落として言う。

「時々聞こえるんだ。遠いどっかの浜辺で、波に打ち寄せられて触れ合う貝の音とか、晩飯の支度をする人たちの聞いたことのない言葉とか。それであれっと思ってこうやって部屋の音を全部消す、そうするともう何も聞こえなくなってる。何だか、ほんと気のせいかもしれないんだけど、その中に、よくわからない音が一つだけ混じってることがあるんだ。それ、おれを呼んでるような気がするときもあるのね、あのさ、音質の悪いテープを大音量でかけたときみたいな——ガリッガリッて内側からスピーカーを引っ搔《か》いてるみたいな。それ集中してじっと聞いてると、ゆっくりゆっくり、ハ・ヤ・ク・コ・イって言われてるような気になるんだ」

もう一度耳を澄ます。やっぱり何も聞こえない。でも多分、イタガキが言っていることは嘘ではないんだろうなと思った。イタガキには聞こえるんだろう。何とか聞こえないものかと、全部の神経を耳に集中させてみた。小さなサイレンが音階を変えて通り過ぎて行った。

イタガキがはるばるインドへ行ってしまうというニュースは、友人たちの間にあっという間にひろまった。みんなそれを聞くと一瞬おいて大爆笑し、思い出したように私に聞いた。カオルはどうするの？　それは私とイタガキがずいぶん長い間恋人どうしで、おなかの中の一卵性双生児みたいにひっついていたからだったのだが、その問いは不思議に聞こえた。私は笑って、別にと答えた。ほかに何と言って答えたらいいのか、わからなかった。

とにかくイタガキが行ってしまうまで一週間もなかったので、私たちは大急ぎで予定を合わせ、イタガキを送る会を計画した。

平日の遊園地は空《す》いていて、入り口を潜ったとたんマリコやきんちゃんやクロは走り出した。顔に幾筋も汗のあとをつけて立っているおねえさんからポップコーンを買い、私とイタガキと原田君は並んで歩いた。

「インドには遊園地がないかもしれないからって、みんなで考えたんだぜ」

原田君が笑う。

遠くでマリコが甲高い叫び声を上げて私たちを呼び、三人はポップコーンを弾《はじ》けさせて走りだす。

順番を待つ間、目の前を車体ごとぐるぐると回転して走るジェットコースターを私たちはわくわくして眺めた。すりきれるような叫び声が幾重にも重なって聞こえた。この時点で、もうすっかりイタガキのインド行きなど忘れていて、私たちはくだらない話をして必要以上に馬鹿でかい声で笑った。

私たちを乗せたジェットコースターはゆっくりと垂直に上がり、大きな金属音を立てて滑りだした。前に坐《すわ》ったマリコとクロは両手を挙げて叫び声とも笑い声ともつかない声を上げている。私とイタガキは顔を合わせ、堪えきれずにげらげらと笑った。くねくねと続くレールの上を走る車体は、私の内臓を脅すように揺すり続ける。このまま狂乱している私たちをつれて、この不自然に真っ赤な乗り物はここを抜けだしてしまうんじゃないかと一瞬思った。笑い声も轟音《ごうおん》もすうっと遠ざかり、底のない澄み切った空が頭の下にあったとき、一つの問いが頭の中にぽんと投げ出された。ここってどこだっけ？

その問いについて考える暇もなくジェットコースターは止まり、乗客は次々と降りて行く。マリコたちは興奮が冷めないらしく意味不明の叫び声を上げ、原田君はコンクリートの上に寝っ転がって笑っていた。

私たちはふらふらする足で走り続け、フライングカーペットの前でまた並んだ。興奮しきったクロはずっと女の子の話をしていた。息つぎの間だけ言葉が途切れた。だってそしたらさあいりもしないのにいろんなもん家に持って来やがってさあ、笑っちゃうよティッシュにフリルのカバーかぶせたりすんだぜ？　いらねえってのにあんな狭い台所で煮しめ作ってさあ。だれも聞いていなかった。鉄の柵《さく》に身を乗り出して、空のバケツみたいに半円を描いて行ったり来たりする派手な乗り物と、空に投げ出される悲鳴にみんなうっとりしていた。

カーペットが左右にゆっくり揺れ始め、次第に大きく弧を描きだす。右手はイタガキと、左手はマリコと手をつないで声を張り上げながら、だれかさっきのポップコーンみたいに弾けだして地面に落ちるんじゃないかと思い始めた。そうすると束になる叫び声の合間に、ぽーんと投げ出されスローモーションで空を泳ぎ、地面に落下して小さくバウンドしていく人の姿が実にリアルに目の前にちらついた。そうだそうなるに違いない。固く目を閉じていると、そうなるのは間違いなくイタガキであるような気がした。そしてこんなふうに空中で振り回されながら、自分の恋人が投げ出されて行くところを想像している自分がおかしくなる。

カーペットがようやく停止して、右手に冷たいイタガキの手を感じた。何だか不思議だった。彼がまだここにいることが。

夕方になって私たちは酒と食べ物を買い、イタガキの家に行った。家の中はずいぶん片付いていて、いつもより広く思えた。ベランダに椅子を出し、一列に並んでバーベキューを食べた。目の前の夕焼け空はピンクと紫が混じりあった色をしていた。ふいに原田君が言った。

「インド人ってやっぱりカレー食ってんのかなあ」

「そうなんじゃないの」

「インド人ってパンクなんだろうなあ」

「何で？　いるの、インドにパンクって」

「だってインドの神様って破壊の神様だよねえ」

「この部屋、処分しちゃうんだ」

「いつ帰ってくるかわかんないからね」

「学校はどうすんの」

「休学」

「お金は？」

「バイトでためたのと、親に少し借りた」

「でもさあイタガキは幸せだよなあ」

急にしみじみとクロが言う。

「親に金借りて、ご遊学して、カオルも何も言わないし、幸せだあんたは」

「何とでも言いなさい」

ピンクと紫の空はどんどん濃くなり、やがてすとんと青に染まった。月は穏やかに笑うように霞《かす》んでいた。

「最後の晩餐《ばんさん》みたいだね」

立ち上がり、横一列に並んだ私たちを見下ろしたきんちゃんが笑って言った。

「最後じゃないよ」

クロが言う。

「最後かもしれないよ」

空になったビールの缶をつぶし、私はイタガキを見て言った。

「うん。最後かもしんない」

イタガキは笑って答える。

「カオルって本当に頭おかしいんじゃないの、何でそんなしんみりするようなことを言うんだかね、帰ってきてまた集まりゃいいんじゃん、そんな大袈裟《おおげさ》なことじゃないでしょう」マリコがいやにむきになってどなった。

濃い青に染め抜かれた空気の中を、うっすらと雲が模様を描いて通り過ぎる。生温かい夕方の風が、私たちの手にする食べ物からにおいを取り去っていった。

みんなが帰った後、後片付けをしているとイタガキが私を呼んだ。

「何かやる」

「何かって？」

「欲しいもん何でも持ってっていいよ、レコードでも、本でも、ゲームでも」

口を開けたままの段ボールを並べ、イタガキは言った。私は一つ一つ段ボールを覗《のぞ》き、コーヒー豆と、ブルースのレコード三枚と、シューティングゲームのソフトと魚の図鑑を出した。

「これだけ」

「これだけでいいの？」

「これだけでいい」

イタガキはよっしゃと答え、すべての段ボールにガムテープで蓋《ふた》をした。

「じゃ、私は帰る」

「送ってくよ、そこまで」

イタガキは黒いゴミ袋をさげて、私のあとをついてきた。玄関で立ち止まり、自分の腕時計をおもむろに外し、これもやる、と言った。

「いらないよ」

「何で？　これかっこいいって欲しがってたじゃん。それに、おれ持ってても使わないと思うし」

私に向かってまっすぐ出された銀の大きな時計をしばらく見つめていたが、受け取ってポケットに入れた。冷たかった。

二人で黙ったまま、夜の道を歩いた。気を弛《ゆる》めると昼間乗ったフライングカーペットを思い出し、まだ身体が宙を漂っているみたいだった。

静かだった。私たちの足音さえもしっとりした夜の空気が吸いこんだ。耳を澄ましても、何も聞こえてこなかった。イタガキの隣で歩きながら、波に打ち寄せられる貝のたてる音はどんな音だろうと考えていた。

曲がり角のところで私は言った。

「ここまででいい」

イタガキはゴミ袋を両手にさげたまま、困ったような顔をしてうなずいた。

「じゃあ、元気で」

そう言ったものの、私たちは立ち止まったままだった。塾帰りらしい子供たちがスナック菓子をばりばりいわせて通り過ぎていった。夜空を見上げると、月は相変わらず霞んでいた。子供たちの声が遠くに消え、電気の灯《とも》った家はみんな留守を守るみたいに静まり返っていた。置いていかれるのは私なのに、二人してこの夜の一点に置いていかれた気がした。ねとねとする生温かい夜風も急にすうっと涼しくなったように思えた。

「星が見えないね」

イタガキの声に顔を上げた。目の前に上を向いたイタガキの白い首が見えた。

「インドの海岸あたりじゃ、たくさん見えるだろうね」

「楽しみだなあ」

手を伸ばし、上を向いたままのイタガキの喉《のど》に手を当てる。それから頬にも、肩にも触れた。暖かく、柔らかかった。

「それじゃ」

私は言った。イタガキは薄闇の中にぼうっと光るような白い手を上げ、ゆっくりと振る。それに見とれてイタガキの顔を見損ね、彼がどんな表情をしているのかわからなかった。

角を曲がり、数メートル離れた家を目指して歩いていくと、昼間の宙を浮く感じがぐんぐん込み上げてきた。私は目を閉じ、身体が放り投げだされごうんごうんと宙を回る感覚を抱えたまま歩いた。真っ暗闇が不安になって薄目をあけると、濃い闇の中を泳いでいるみたいに思えた。こんなふうに、もう会えないかもしれないお別れは、人が死んでしまうのにものすごくよく似ていると思った。そう思いつくとたちまち意識がぼんやりしてくる。意識まで一緒になって闇の中をごうんごうんと回りだす。地面に足をつけて歩いている気が全くしなくなり、私を、私だけを乗せた、原色の不可思議な乗り物がものすごいスピードで回転しながらどこかへ走り去っていくように思え、もう一歩も歩けなくなる。ゆっくりと目を開ける。あたりは何一つ変わらない蒸し暑い暗闇で、二本の足はしっかりと地面について私を支え、夜は何事もなく眠り続けていた。

でも、あの人たちは——また歩き始めながら私は思う。死んでいった人はだれもイタガキみたいには言っていかなかった。「行っていい？ 置いていっても怒らない？ 勝手じゃないかな？」彼等がもし私にそう言っていったら、私は何と答えていただろう。あんたの人生じゃん、勝手も何もないでしょうよ。何だか、おかしくなって、うつむいてこっそり笑った。

3

冗談みたいにイタガキは行ってしまった。彼が旅立ったあとも、何一つ変わらなかった。私たちは相変わらずマリコの家に集まり、一緒に食事をし、モノポリーをした。何か変わったことがあるとすれば、本当に微々たることだった。

たとえば私が時計をして歩くようになったこと。以前は腕時計などしなかったのに、イタガキから譲り受けた銀の時計はやはりセンスがよかったので、して歩くようになった。そうするといちいち時間を気にしてしまうのだ。止まっていないか、進んでいないか、今は何時か。時計がこんなに重いなんて知らなかった。時間とはこういうものかといささか驚いた。三日もたつとそれはしっくりと腕に慣れ、いちいち時間を気にしなければならないのが厄介でも、外せなくなってしまった。

それからたまたまテレビをつけていてワールドウェザーニュースなどをやっていると、何気なく見るようになった。以前は目にする度に、こんなパリだのニューヨークだのの天気を、だれが必要としているんだろうと思っていたが、ニューデリーは曇りで三十度だと言われると、ああこんなときのために必要だったんだなあとうなずいた。イタガキは汗をかいているだろうとか、グレイの空を見上げているだろうとか、私がここでよりリアルに思うために。

アルバイトの帰りに香子の通う大学に行った。昨日の夜香子から一緒にご飯を食べようと誘われたのだ。香子にはずいぶん会っていないが、みんなから噂は聞いていたのであまり気が進まなかった。しかしいつもマリコの家でご飯を食べさせてもらうのも気が引けるし、かといって一人で食事をするのはもっと嫌だったので、あんたの大学に連れてってくれるならいいよと返事をした。

大学構内にはほとんど人がいなかった。白いワンピースであらわれた香子はびっくりするほど色が白く、この夏のさなかにおいてこんなに白いとは冷凍庫に入って暮してるんじゃないかとさえ思えた。

「どこに行く?」

「図書館に行きたい」

「でももうきっと閉まってるわ」

「じゃあ教室」

香子はうなずいて歩いて行く。

「病気はもう平気なの」後ろ姿に聞いてみた。

「ずいぶんいいけど、なかなかね」

香子は振り向いて笑った。

香子が連れていってくれたのは、高校の講堂くらいある大きな教室だった。電気はすべて消えていたが、中には入れた。

「あそこに先生が立って授業するの?」

「そう、マイク使ってね。だれも聞いてないわ」

私たちはかろうじて去りぎわの太陽が差しこむ、一番隅の席に並んで坐《すわ》った。何だか不思議ね、と香子は笑った。全く普通なので安心した。

「イタガキくん、インド行っちゃったんですって」

「うん、一週間前くらいにね」

「あなたもつらいわね、一人になっちゃったわけでしょう」

どきどきするくらい顔を近づけて香子は言う。

「あそこの病院、まだ行ってるの」

私は話題を変えた。

「うん、行ってる」

「でもよかったね、ずいぶんよくなったみたいじゃない、全然普通だよ」

と言うと、そうでもないの、と、いきなり香子は勢いよく話し始めた。

一日中何も食べられず、夜中に急に飢え死にの恐怖に襲われてフランスパンに何もつけず三本も食べたとか。ある日は人の存在が恐ろしくなりテレビのコードも電話線もすべてちょん切ってしまい、またあるときはどうしても人と話したくなってコマ劇場前に一日坐りこんで酔っ払いの相手をしていたとか。病院に行こうと思って電車に乗って、気がついたら長野県にいたとか。

彼女は実に生き生きと話し、その声は高い天井に響いて吸い込まれた。左側から差しこむオレンジ色の光はゆっくり角度を変えていく。私は黙ったままそれを眺め、香子は沈黙をどんどん言葉で埋めていった。彼女は自分がとてつもなく不幸に思えて泣き喚《わめ》きたくなるときがあると言い、それは考えてみれば自分を支えてくれる人（多分恋人のことだろう）が全くいないからであり、どうしてだれも支えてくれないのか更に考えてみると自分が病気だからなのだと言った。堂々巡りだった。彼女は言葉を変えてその堂々巡りを何度も話した。つまり、自分は恋人がいなくて孤独であり、恋人にインドくんだりまで行かれた私も同様に孤独であるはずで、だったら食事でもしてお互い傷をなめあいましょうと、昨日の電話の真意はそんなところらしかった。四度目にさしかかったとき、つまり男が欲しいのかあんたは！　と長い机を張り倒したくなったがぐっと堪《こら》え、彼女が言葉を選んでいる数秒の間に立ち上がった。

「おなかすいちゃった、学食に連れてって」

「え、ああ」と彼女も我に返って立ち上がり、「ごめんね」と謝った。

「ごめんね、私まだ完全によくなってないから、人と話すペースがわからなくて話しすぎちゃうの」

二つの長い影を踏んで歩き、ふと子供の頃を思い出した。風邪を引いて学校を休み、窓から差しこむ太陽を浴びて寝ているとき。食事はベッドまで運ばれ、わがままが許され、メロンやアイスクリームのデザートが豊富にあらわれ、漫画本まで何冊も出てきた。窓から日を浴びてきらきら光る芝生と、のんびり散歩する老人と犬を見下ろし、かしこまって授業を受けている級友を思い描き、自分だけが世界の王様になったような気がした。この人の守っている「病気」はそんなものなのかもしれないと思う。

彼女が連れていってくれた学食は三階建の素晴らしくきれいなビルで、最近の学生はこんなところでご飯を食べられるのかと感心した。私一人がはしゃぎ回り、和風ハンバーグと角煮丼とたらこスパゲティを買いあさってきたのに対し、香子はブラックコーヒーだけ買って席で待っていた。

「私時々人に見えないものが見えるの」

がつがつと食べ続ける私に、また顔を近づけて香子は言う。

「死に神とか背後霊とかそういうの？」

「違うの。電車に乗っていたら全車両紫のカーテンが閉まってたり、ホームに降り立つとそこが真っ赤な花畑だったりするの。でもあれっと思ってよく見ると元通り、普通に見えるの」

「へんね」

「今夏でしょ、窓をあけると雪が降っているように見えることもあるの」

紫のカーテンがはためく車内や、まばゆい花畑と化した駅のホームを一つ一つ思い描いた。それは何となく、私がかつて天才だった頃と、あるいはイタガキが遠くの物音に耳を澄ましていたのと同じようなことに思えた。

「それが自分の現実だって思えばいいんじゃないの、赤い花畑や、雪の降る中で生きてみればいいんじゃないの、どれが本当かなんてわかんないんだから」

食べ終えた食器を重ね、言った。彼女は私の言葉を遮り、それどころかね、と、更に自分の住む世界のことをこと細かく話しだした。うなずきながら、止まっていないかどうか、テーブルの下でこっそりイタガキの時計を見た。

学食を出ると、お酒を飲みに行きましょうと香子が言いだした。

「悪いけど、明日早いから」

「そう」香子は残念そうにうつむき、「あなたとならわかりあえると思ってるの。また、一緒に食事しましょう」

「そうだね。香子の世界の話を、また聞かせてね」

私はそう言い、背を向けてバス停まで走った。小さな神社に明りの灯《とも》った提灯《ちょうちん》がいくつもさげられ、生い茂る緑をぼんやりと照らしだしていた。私は思わず立ち止まり空を仰ぐ。橙色《だいだいいろ》にほのかに光る提灯は神社の奥までいくつもいくつも無数に並んでいて、そのあまりにも現実離れした美しさが私を不安にさせた。香子が言ったように、これが私にしか見えなかったらどうしよう。香子の見た紫のカーテン、イタガキの聞いた世界の果てのかすかな音、いったい私たちはどこにいるのだろう？

店内にはオーティスが響いている。カウンターに両肘《ひじ》をつき、テーブルの木目を数える。どこから入りこむのか、フライのにおいに混じって雨の音が遠く聞こえる。イタガキが行ってから三週間目に手紙が届いた。イタガキのことを心の中でもういない人、と思おうとしてきたので手紙は何だかまぬけだった。イタガキも自分でそう思ったらしく、言い訳がちゃんと書いてある。

肌の違う人たち、服装の違う人たち、まるで知らない言葉を交わす人たちに囲まれて、ひどく暑い道を牛と埃《ほこり》と数え切れない浮浪者と牛の糞《ふん》にまみれて歩いていると、日本語を文章で話したくなります。不必要な会話を、たとえば英語なんかに訳せない会話をしたくなります。なので手紙を書くことにします。

「ねえ新譜は置いてないの？」

手にした傘からぽたぽたと水滴を垂らし、髪の長い女が聞く。

「ないですよ、中古屋ですので」

「CDも？　CDもないの」

「ないです、中古レコード屋なのですみません」

女が去ったあと、モップを取り出して濡《ぬ》れた床を拭《ふ》く。ポロシャツ姿の男がレコードをどっさり持ってきてカウンターに並べる。私は声を張り上げて店長を呼ぶ。店長は一枚一枚、盤を出して傷を調べる。

僕はずっと、カオルもヒカルもマリコもクロも、みんな同じ場所で、みんな同じものを見ているんだと思っていました。特にカオルとは。だからいつも一緒にいて、見たものについてや感じたことについて話したり笑ったりしてたんだと、何となくずっと信じていました。だけどここにいて思うのは、それは全然嘘だということ。勝手に僕が作った幻想だということ。僕たちは多分全然違う場所で全然違うものを見て、たとえば別々の透明な瓶のなかで、自分だけの空気を吸いながら、ガラス越しに目を合わせてただけみたいな気がするのです。そう思いついてとても絶望的な気分になったのだけれど、人なんてそんなもんじゃないかとも思う。友達とか恋人とか夫婦とか家族とか、ぜんぶぜんぶ偽物の嘘っぱちなんじゃないかと思う。それはきっと悲しいことではなくて、人が勝手に生れたり死んだりするのと同じに、ごくごく普通のことなのかもしれない。そんなことを考えています。

モップを片付け、男の売っていったレコードを整理し、腕時計を見た。針が動き続けるのを確かめながら、オーティスを聞いた。勝手にさせてよ、縛りつけるのは止めてくれと切ない声で歌っていた。

私が入っていくとマリコはのそのそとベッドから起き上がり、おなか空《す》かない？　と聞いた。部屋はきつい煙草のにおいが立ち込め、しっちゃかめっちゃかに散らかっていた。

「寝てたの？　今日はだれもいないね」

「ついさっきまで原田とヒカルとコーちゃんがいたの、昨日のさあ、昼の十二時からさっきまで、ずっとファミコンしてたの、ああ目が痛い」

「ごめん、寝てていいよ」

「おなか空いて寝られないの、何する？　ピザ、中華？」はさみやレコードや雑誌や、いろんな分野のものが入り乱れる床の上に、マリコはばさりと出前のメニューを広げる。

「だれ、コーちゃんて」

「知らなかったっけ、モトの弟。コックさんなんだよ、見習いだけど。それがさ、私もこないだ初めて会ったんだけど、初めて会った気がしないのね、だれかに似てるの。だれだろうってずっと考えてて昨日思いついた。あのね虫みたいな顔してるの。昆虫一般の顔なの」

マリコは話しながら受話器を手にした。

思い切りタバスコをかけたピザを頬張りつつ、イタガキからの手紙を読みあげた。水滴が窓を曇らせ、車が水を切って走る音がひっきりなしに続いた。

「旅行するとさ、人間って頭よくなんのかな」

真剣にマリコが言うので笑ってしまった。

「だってそうじゃん、イタガキそんなにもの考える人じゃなかったよねえ」

「うん。これ結局何が言いたいのかなあ」

「わかった。インドにはねいろんな種類のドラッグがあって、その中には深く深くシンキングしてしまうのがあるって聞いたことがある。イタガキそれキメたんだよ。でももともと頭悪いもんだから、まとまりつかなくなってんじゃないの」

食べ終えるとマリコは大きく伸びをして、散らばった床の上を足で蹴《け》散《ち》らし、またベッドに入ってしまった。

「瓶のなかねえ」

歌うように言うと、そのまま眠りこんだ。クーラーが騒がしく鳴り始める。私はもう一度薄っぺらい紙を広げ、イタガキの汚い字を眺めた。イタガキの今いるという聞き慣れない町の名前をつぶやいてみた。やっぱり来てよかったと、最後に書いてあった。

母親が手術前の麻酔の段階ですうっと死んでしまったとき、待合室で私はイタガキにしがみついて震えていた。悲しいより先にただ怖かった。強力な掃除機みたいにするりと人の運命を吸いこんでしまう強い力のようなものが恐ろしく思えた。

　雨はびっしりとフロアに面した大きな窓に張りついて、細く細く滴り落ちた。一番隅の蛍光灯が小刻みに震えていた。薬や食事や病気のにごったにおいで一杯だった。段々強くなる雨も、切れかけた蛍光灯も非日常的なにおいも、私を怖がらせるために用意された状況に思えた。

　二時を過ぎてエレベーターからあふれ出る面会人たちは、両手一杯に花や雑誌やケーキを抱えて、ビニールの椅子の上で抱き合う私たちに暖かい哀れみの目を向けた。そして目を伏せ、静かに通り過ぎた。今朝母親のベッドを引いて行った看護婦は、何もなかったようにカルテを抱えて横切る。人を呑《の》みこむどでかい力と、人の死のちっぽけなことを改めて知った。

　耳の奥で、蚊が羽根をこすりあわせるみたいに絶えず音楽が鳴っていた。恐怖とも母とも死とも関係ない、一番よく聴いていたレコードの美しい曲だった。音楽は止まなかった。私はその音楽の美しさに泣いた。大丈夫だよ、と、何度も何度もイタガキは言い、背中をさすってくれた。耳元で鳴り続ける曲に涙が出るのだと彼に言えなかった。この音の美しさを彼は理解できないだろうと思った。

絨毯《じゅうたん》の上にこぼれた煙草の灰、投げ出されたレコード類マンガ類、灰皿がわりに使われた汚れた空き缶、新聞紙、油の付いたピザの紙皿、一つ一つを確かめるように視界に置いて、イタガキが書いたことは、そういうことなのかもしれないなと思う。クーラーの風に吹かれて便箋《びんせん》がかさかさと乾いた音をたてる。まだ人の騒ぎの余韻が残る部屋で、雨の音に吸いこまれていくマリコの寝息にじっと耳を澄ませた。

4

映画を見に行こうと思った。イタガキがいなくなってから私は映画を見ることも、外でご飯を食べることすらしていないのだった。こんなことではいけないと情報誌を読みあさり、バイトが終わってすぐバスに飛び乗った。

冷房がききすぎて薄ら寒い車内は空いていて、仕事を終えた人たちでごった返す街を窓の外に流していく。

一番後ろの窓際に坐《すわ》ったとたん、時計が気になり始めた。腕をひっくりかえして目をやると、五時三十五分を指している。この時計、遅れていないだろうか。もし遅れていたら映画に間に合わないことになる。そんなちっぽけなことに胸がどきどきする。バスの中に時計はない。ただ青いシートと、運転手の白いYシャツが見えるだけだ。

私はぐっと腰を落とし、半分寝っ転がるようにして、流れていく街に時計を探した。正確な時間を確かめたくて、そう思ったらどうしてもそうしなければすまない気持ちになっていた。

正確に並ぶ長方形のビルから、群れで生活する動物のようにぞろぞろと人が出てくる。みんな白いシャツを風にふくらませ、太陽に反射してあちこちでちらちらと光を放つ。だれ一人振り返らず同じ歩調で、ゆっくり一つの方向へ歩いていく。背の高いビルに丸い日が隠れまたあらわれて古びた映画の看板を差す。その強い光にまわりの何人かがふっと消え、かげろうみたいにぼうとあらわれる。リズム隊がどこかに隠れているのではないかと思うほど、流れは恐ろしく単調だった。その中に時計は一つも見当たらなかった。

トイレの位置だったの。トイレの位置がいけなかったの。今だから封鎖してあんのよ。怖いわねえ。ヘタに家建てらんないわねえ。一階のつきあたりに増築してんの、それまでは二階のトイレ使うの、もう絶対あそこは使わないわ、恐ろしい。うちのまこちゃんもようやく縁談まとまったし。多分来年あたまに式挙げるから、来年は幸先いいわよ。もう大丈夫。かおるちゃんも安心して勉強するといいわ。当分不幸はないわよ、おはらいしてもらったんだから。大丈夫よ、今二浪も三浪もごろごろしてるし、言わなきゃわかんないもの。それにしてもまさかトイレだったなんてねえ。これでおばさん安心した。もっと早く見てもらえばよかったのよ――。

バスを降りて時計を探した。西口から東口へ抜けるコンコースも人であふれ返っていた。人々は無表情に白いつるつるした床を滑るように流れていく。隅で浮浪者が黒ずんだおなかを出して寝ている。彼が寝返りをうつと空の一升瓶が転がり、女のハイヒールに蹴られカラカラとたくさんの脚の間を器用に潜って消えていく。

時計、時計、時計、時計。どこにでもあるはずじゃないか。地下鉄の切符売り場にもJRの改札にも花屋のわきにも。なのにどうして見当たらないんだ？　あせればあせるほど、どこを見ていいかわからなくなる。床と同じく白い白熱灯に隈《くま》なく照らしだされたコンコース内三百六十度が視界に入らないことにいらいらする。

じわじわと動き続ける人の波の真ん中に立ち止まり、腕時計をすばやく外して床に投げつける。イタガキから渡されたときと同じように冷たい感触の音が響いて消えた。

ちくしょう！　私は私の時間が止まっていないか狂っていないかびくびくしてまるで時計の中にはめこまれたみたいに窮屈なのに、あんたは一人牛の糞《ふん》と浮浪者にまみれて時間のないところか、こんなもの押しつけて行きやがって。自分の時間まで私に背負わせやがって――。

「落としたよ」

興味の目を向けて歩き続ける人の間から、野球帽をかぶってかばんを斜めがけにした老人がぬうっとあらわれる。彼の手には銀に光る時計が握られている。

「落ちたよ、いま」

老人は叫ぶように言う。

「捨てたの」

「とけい、ほら」

「……ありがと」

老人は顔をくちゃりとつぶして笑い、時計を満足げに私の手の中に滑りこませる。時計をポケットに突っ込み、私はまたバス停へと走った。地下道を上がると、ちょうど街は橙《だいだい》色《いろ》だった。

ドアを開けると煙の中にマリコたちが黙って坐っていた。珍しく音楽もテレビの音も、にぎやかな馬鹿話も聞こえてこなかった。ドアを開けて入っていく私を見ると、そこにいた全員が煙の中で振り返り、笑いかける。靴を脱ぎ中に入ると、ぷんと染髪料のにおいがした。マリコたちはじっと坐り漫画を読んでいる。マリコが一巻、ヒカルが二巻で、原田君が三巻を熱心に読んでいる。その真ん中にシャンプーハットをかぶってべとべとに染髪料を塗りつけた見知らぬ男の子が坐っていた。その子がゴーちゃんらしく、なるほど彼はシャンプーハットをかぶった昆虫の顔をしていた。

「ねえねえお客さんだよ、お茶いれなくていいの」彼はマリコを覗《のぞ》きこむ。

「ちょっとカオルこいつの相手しててよ、四巻から読むのが嫌だからって、うるさいの何のって」

「カオルこれ読んだ？　きんちゃんが持ってきたんだけどすっげえ面白いよ、マリコの次一巻読みな」口の中から煙を吐きだしてヒカルが笑う。

「ずるいよ、次はおれだよ」

「あんたその頭、どうしたの？」

だれかに似てると思ったら虫だったのよというマリコの言葉を反芻《はんすう》しつつ、私は笑いを堪《こら》えて彼に聞いた。

「この人たちひどいんだよ、モノポリーしに来たらもう飽きたからって、頭染めてやるって、退屈なもんだからおれ捕まえてこれ塗りたくってさ、これ洗ったら何色になると思う？　どピンクだよ？　おれ普段何やってると思う？　コック見習いなんだよ、サービス業なんだよ、くびになっちゃうよこんな頭じゃあ」

マリコたちは笑いを必死で堪えて漫画本に顔を隠している。

「ね、ところであんただれ？　おれはね、ハシモトコーイチ。モトキの弟です」

彼は正座して深々と頭を下げる。

「あれ、コーちゃんとカオル初対面？」

「ああカオルって恋人にインド行かれちゃった人？　いいよねえインド。行きたいなあ。ねえその恋人の人、LとかSとか宅配便で送ってくれないかなあ。あとで電話番号教えてあげるから送ってきたら連絡ちょうだい、この人たちになんかあげちゃだめだよ、だめな人たちだから悪用するよ。おれは働いてるからね、一番まとも」

彼はお兄さんのモトと対照的に、実に屈託なく実におしゃべりな人だった。ここはつい最近来始めたばかりだというのに、まるで自分の家のようにコーヒーをいれ、みんなに配る。

マリコたちは無言のまま漫画を回し読みし、私はコーちゃんと並んでファミコンで遊んだ。途中で彼は頭を洗い流しに行き、鮮やかなピンクの頭髪でまた隣に坐る。みんな大爆笑し、彼もつられて笑っていた。私がゲームに臨んでいる間中彼は、子供のころの話や自分の勤めるレストランの話や、今付き合っている女の子の話を次々と披露し、私は気が散ってすぐゲームを終わらせてしまった。特に彼女の話には力が入り、今度ここに連れてきていいかとしつこいくらいマリコに聞き、そのあまりのうるささにマリコは本を投げつけて怒った。

イタガキはいなくなり、代わりに知らない人たちがイタガキ以上の親しさでここに入ってくることを想像していた。結婚や出産で次々と増えていく親戚《しんせき》のように。そして黒い縁の写真を指し、やっと歩ける子供が無邪気に「あの人だれ？　あの人いなくなったの？」と聞くみたいに、いつかだれかが無邪気に聞くのだろう。「イタガキってだれ？　どうして今いないの？」と。

やがてコーちゃんはマリコの台所で料理を始め、五人分の食事の用意をする。ちかちか点滅するゲームの画面に見入り、包丁が小刻みにまな板を叩《たた》くのを聞きながら、イタガキは最初からいなかったんじゃないかといつもみたいにぼんやり思ってみる。煙の中でみんな漫画に目を落としている。台所でコーちゃんの歌うルビー・チューズディが煙と一緒にくるくると部屋の中を回っている。

イタガキのいた部屋を見上げた。彼のベランダには見慣れない洗濯物がかかり、薄い夜風にひらひらと泳いでいる。それで私は彼がいたことと、今いないことを確かに知る。群青の夜空はアパートを覆うように低く垂れ下がり、赤い月がぽっこりと埋め込まれている。こうして彼のいたアパートの前に立ち、彼と私の関係を初めて知ったような気がした。気がしたが、それは久しぶりにきりっと涼しい夜風のせいかもしれない。

イタガキの言うとおり、私たちは別々の瓶のなかにいて、目を合わせたり手を振ることはできても、触れ合うことはできないのだ。そしてそれぞれの瓶のなかから見える世界は全然違う。それはインドなんかよりもずっと遠い距離に思えた。

だれが死んでもそうだったのかもしれない。私を封じこめているガラス瓶はひどく分厚くて、私はいつもぼんやりしていた。鼻にも耳にも綿を詰められたおばさんの顔も、怒っているみたいだったおじいさんの顔も、子供みたいに眠る母の顔も、手を振るイタガキの顔も、全部が分厚いガラスに遮られて歪《ゆが》んで見えた。私は眺め、あたかもそれらが瓶のなかでみずから作り出した現実のように、全部知っていたことのように、驚きもせず立ち尽くしていたのかもしれない。胸の前で両手をこすりあわせてみる。様々な囲い殻の感触がよみがえる。彼等と交わした言葉、共に過ごした時間さえ、その殻の前にはひどく脆《もろ》く、消滅しそうにゆらゆら揺れる。

5

クロのバンは人ではち切れそうだった。いつもの仲間に加え、コーちゃんが自分の彼女と友達のカップルを連れてきて、私が香子も呼んだものだから、八人乗りのおんぼろバンの中ではクロがモトの膝《ひざ》に坐《すわ》り、マリコと私は抱き合い、床に原田君がうずくまり、後部座席の後ろにコーちゃんが横たわる有様だった。だれもがこの状態のまま渋滞に巻きこまれることに恐怖を覚えていたが、勝手に歌ったり酒を回して必死に気を紛らしていた。

ついに高速で渋滞に巻き込まれた私たちは身動きもできず、気まずい雰囲気が流れた。

「何でコーイチ四人で来るわけ？」

「だって海だよ、だれだって行きたいよ、それにだれも車持ってないもん」

「それにしても香子は大丈夫なの、海なんか行って」

「だって私身体が悪いわけじゃないし。時には気晴らししないと」

「マリコこそ！　おまえ生理なんじゃねえの、塩水入って平気なのかよ」

「どうしてクロってそう下劣なの？　そういうこと普通言う？　初対面の人もいるんだよ」

私は焦ってポケットから今朝届いたイタガキの手紙を引っ張り出し、声を上げた。

「ではここでイタガキからの手紙を読みあげましょう」

文句を言う声がようやく収まり、ほっとして封を切る。

おととい島に渡りました。光の島と呼ばれるこの島は本当に美しいです。しかしここには宿泊施設がありません。昨日は野宿をしました。野宿なんて初めての経験です。僕はボーイスカウトに入っていなかったので。

「いいなあ島かよう。いいなあ。おれたちはたかが近所の海なのによ」

「また手紙書いてきちゃってさ。もう帰らないみたいなこと言ってってたくせにね、結局カオルに手紙書いてんじゃない」

「男って所詮《しょせん》そうよ、人が生理だの何だの悪態ついて、結局一人じゃ何もできないのよ」

「すりかえるな馬鹿」

夜中にふっと目が覚めて、散歩してみました。月はなく、一寸先は闇ってこういうことなのかと思うくらい真っ暗なんです。まばらにある人家の明りがぼうっとあたりを照らしてますが、もちろん僕のいるここには届きません。目の前に上げた掌《てのひら》すら見えない闇って想像できますか。

「一寸先は闇って、意味違くねえか？」

「よかった、イタガキやっぱり馬鹿なままだったねカオル」

「停電になれば掌見えねえよな？」

じっと目を凝らすと、だんだん目が慣れてきて、木々の動きや潮の流れが見えるようになります。それでねカオル、僕はすごいことに気づいたんだ。木の動き、僕が踏みしめる土、水の流れ、それによって描かれる砂の模様、打ち寄せられる貝殻、すべて、僕の目の前にあるすべてに、何かを解く暗号が隠されているんだ。足を止めて身動き一つしないと、きーんと耳の奥が痛くなるほどの静けさの中で、そのすべての暗号が、僕に向かって呼び掛けているんです。何を解く鍵《かぎ》なのか、僕は一生懸命考えてみた。もちろんわからないんだけど、それはとてもシンプルなものではないかと思えた。そしてそれはこんなふうに一晩や二晩考えてみてわかるもののはずがなく、暗号を解いていくことが生きていくことなんじゃないかとも思えるわけです。

きっとカオルは原田たちにこれを読み、原田たちはこの僕に似つかわしくない手紙を大爆笑するんじゃないかと思う。でも、なんとなく雰囲気でここへ来て、雰囲気だけじゃすまないどえらいもの（それこそ目から鱗《うろこ》が落ちて落ちて困った）に出会って、正直言って僕はわりと途方に暮れていたんです。そろそろ一か月もたちようやく落ち着いてものを考えられるようになり、僕は今までの自分をずいぶんと夢に見ました。中学生のときシンナー盗んだことまで夢に出てくるんで笑いました。でもその果ての今の自分がここにいる意味もようやくわかった気がします。

「やっぱドラッグよー、カオル」

「ドラッグ？　ドラッグ情報なの？」

「おまえはそこで寝てろ」

「でもさあこういう日本人ているよねえ、海外行って急に目覚めちゃったりする人」

「そこがイタガキらしいんじゃん」

「いいこと言ってるよ、頭使ってるよあいつなりに」

「今更大爆笑するわけないじゃんなあ、知りつくしてんだぜ、イタガキのこと」

そんなことを考えて、さてもう眠りにつこうと浜辺に横たわって、僕は息をのみました。今まで見たこともない、満天の星空！　すみからすみまで、水平線の向こうまで、びっしりと星に埋め尽くされた夜空が、僕の前にそびえているんです。自分の心臓の音が聞こえるほど静まり返っていて、静寂がすっぽりあたりを覆い尽くしています。人が一人もいない。本物の孤独だと思いました。本物の孤独というものを僕は知らなかった。それは骨がきしむ音が聞こえるくらい恐ろしく、耳が聞こえないんじゃないかと不安になり、もうこの一瞬あとにでも発狂するんじゃないかと思うくらい大きなものです。僕はそれをひどく恐れるとともに、ずっと焦がれていたんじゃないかとも思いました。それほどその状況は懐かしく、優しくさえ思われました。

かんと晴れた高速の道に、流れ続けるＢＧＭのガンズに、イタガキの手紙はあまりに不釣り合いだった。三枚の手紙を読み終えるとみんな何も言わなかった。コーちゃんが後ろから馬鹿の一つ覚えのようにドラッグがどうしたのこうしたのとぼそぼそ言い始め、ようやくマリコたちはまたふざけはじめた。バンは渋滞を抜けていた。人の間に小さな海が見え隠れした。人と人の間をくぐり抜け、ビーチマットを広げる。マリコときんちゃんはオイルを塗りたくって横になり、コーちゃんたちは解き放された野犬のように海へと駆け出した。香子はパラソルの中で鼻歌を歌っている。濃いビニールのにおいを放つ浮環に口を当て、思い切り息を吐く。

「でもさイタガキ行ってよかったよ本当に」

隣に腰を下ろし、ヒカルが言う。

「さっきの手紙聞いてて安心したよ」

ぶよぶよの浮環に手をあて、私は空気を入れ続ける。

「少なくとも音信不通じゃないし、あんな真剣な手紙書いてきて、泣かせてくれるよ。きっと夏が終わる頃いくらかまともな人となりで帰ってくるよ」

きついビニールのにおいで胸がむかつく。しゃがみこんでいる私たちのまわりを何本の足が通り過ぎていく。パンパンに膨れた浮環を後ろに置いて、私は砂の上にまるや三角を描いた。背中を差す太陽が暑かった。時折水から上がってきた人の垂らして行く水滴が、背中に冷たい線を描いた。

「ねえ花火やろう花火」

ピンク色の頭をびしょ濡《ぬ》れにし、コーイチたちが戻ってくる。彼等の濡れた足がまるや三角を崩す。顔を上げ立ち上がり、彼の差し出す花火に火をつけた。昼間の浜辺で私たちの持つ花火から白い煙がまっすぐ上がる。飛び散る青や赤の炎は薄く流れて行く。調子に乗ってクロが飛ばしたロケット花火は、青い空にすうっと一筋残して遠くで弾《はじ》けた。泳いでいる人たちが驚いて一瞬動きを止める。遠くで悲鳴が聞こえ、馬鹿笑いが舞い上がる。人々は迷惑そうに私たちをよけて歩き、火薬のにおいと煙にまみれて私たちは笑い続ける。花火はお止め下さい、ほかの人の迷惑になりますので花火は止めなさい。

野太い男の声が放送される。笑いながら燃え尽きた花火を投げだし、ゆっくり舞い上がって行く煙を見つめる。笑い疲れてみんなごろごろと横たわる。みんなが口をつけてべとべとの酒瓶が回ってきて、苦いラムを一口飲んだ。クロは隣の女の子たちに頼み、彼女たちのデッキでテープをかけてもらっている。素晴らしい大声でボブ・マーリィが歌いだす。完全に酔っ払ったコーイチとその彼女が太陽の中で踊り始める。海から上がってきた見知らぬカップルも曲に合わせて踊り始める。彼等の線が日に透けて光り、きらきらと光が舞う。ビーチボールが足に当たって方向を確かめず私はそれを遠くに投げる。けたたましい笑い声が後ろのグループから三分毎に沸き上がる。赤い浮環を持った子供が乾いた砂を巻き上げて走り、その後を腹の出た女が追いかけて行く。マリコと原田君とモトはマットの上でポーカーを始める。人と人の向こうに茶色い波が見え隠れする。遠くで笑い声が上がり、目を向けるとだれかが砂に埋められていた。ぽこりと出た頭は光り輝くピンク色で、それがコーイチだということがわかる。ヒカルが頭だけのコーイチにビールをふりかける。水滴が透明に光る。不意に腕を摑《つか》まれて振り返ると香子だった。

「イタガキくんは本当の孤独を知らないのよ、一晩とか二晩だからいいと思うのよ、だから焦がれてたなんて言えるのよ」

きつく腕を摑んだまま、ヘヴィメタルのレコードみたいに香子は勢いよくしゃべる。

「どうだっていいじゃないそんなの」

「だれもいない夜の浜辺にいたって彼は一人じゃないのよ、だれかが彼のそばにいるのよ、あなたやあの人たちなんかが。だから怖くも何ともないのよ、あなただってそうよ、イタガキくんが帰ってくるのをずっとそばにいることを信じてるのよ」

「うるさいなあ、帰ってこないよイタガキは」

「幸せだからそんなことが言えるのよ。本当の独りぼっちって知ってる？　電話線も切れてて冷蔵庫を開けたら黴《か》びた食パンだけで外に出ようとしたら玄関から先が無限の暗闇になってて一人ぽーんとその中に放り投げられるようなことなのよ」

「電話線は自分でちょん切ったんでしょうが」

面倒になって思いきり彼女の腕を振りほどき、人をよけて海へ歩いた。彼女が握りしめていた二の腕は汗でべとべとしていた。目の前で盛り上がって行く波に向かって泳いだ。向きを変えて浜辺を見るとごっちゃりと人がいた。コーイチのピンク頭も見当たらず、私たちのパラソルも見分けがつかなかった。キャーッと女の子が抱きついてきて、ごめんなさい、やだあ、間違えちゃった、と離れて行く。

スペースを見つけて水の上に仰向けになる。真上にある太陽を見つめると目の中がじりじりした。ふわふわと漂ううちに酔いが回ってきた。頭の上を雲が流れて行く。それらは勝手に形を作り、今まで死んで行った人たちに見えた。彼等は真上に集まって胸で手を組み、私を見下ろしていた。ゆっくりと十本の右手が私に向かって差し出される。思いきり息を吸いこんで上を向いたまま水に潜る。目の前の水面は緑色にひらひらと光った。差し出された掌《てのひら》は冷たく固い殻だろうか、それとも暖かいのだろうか。水面から顔を上げると、目の前の空は雲のない澄んだ青一色だった。水を掻《か》く掌に、イタガキの腕や首や頬の感触を思い出した。それは海の水より暖かかった。

帰りの車の中は潮の香りがした。日に灼《や》けたみんなは、運転手のクロを除いて、まるで一つの夢で絡まりあうようにぐっすり眠っている。クロは小さな音でテープを流し、眠らないように小声でハミングしている。

私は香子と二人で後ろの荷物置場に押しこめられ、本当に微々たるスペースに脚を折って坐《すわ》っていた。時計を外すと、そこだけ肌がうっすらと白い。時計が動いていることを確かめて、元の場所にもう一度はめる。窮屈そうにしていた香子はやがて眠りこみ、彼女を押し遣《や》りつつ私もいつかうとうとし始めた。

短い眠りの中に夢を見た。幼い頃の夢だった。まだ田畑や山が残されていたその頃、私は父とよく散歩に出かけた。人並み外れて無口な父は、いつも黙って先を歩いて行った。次第に私との距離が離れ、かろうじて父の背中が見えるくらいまで彼は先に行ってしまうのだった。私は置いて行かれ、迷子になり、山に住む老婆（木こりでも妖精《ようせい》でもよかった）に拾われて育つという空想を楽しみながら、木の実を拾って歩いて行った。それでも童話の主人公のように、もと来た道がわかるように木の実を撒《ま》いて歩くことはしなかった。黙って先を歩く父が、いなくなることはないと私は知っていたからだ。そうだ、その頃は人が死んでしまうということも知らないでいたのだった。

山道の途中に小さな蛇がいたり、見事なやまぼうしの花が咲いていたりすると、父は必ず立ち止まり私が追いつくのを待っていた。私はいよいよ父が一緒に歩いてくれるものとそこまで一気に走って行く。それから父の指の先を見て、「あっ、蛇だ」と驚きの声を上げる。その声を認め、父はまた足早に歩きだす。変な期待をして走った自分があほらしくなり、私はわざと歩いて行く父の背中と距離を取って、しゃがみこんでサルビアの花などを口に含むのだ。

夢の中で私はやっぱり父の背中を遠くに認め、鼻歌を歌って歩いていた。父がふと道を逸《そ》れ、私もついて行くと、目の前にとんでもなく広い草原が広がっている。彼方の彼方まで背の高い草が覆い、それらは動きを合わせてそよりそよりとゆっくり風になびいている。私は背伸びをしてあたりを見回す。父はいない。どこまでも広がる緑の原と、それを映すくらい透きとおった空があるだけだ。しかし私は笑っている。鼻歌を歌って父が連れて来てくれただだっ広い草原を見ている。

浅い眠りから目を覚まし、一瞬ここはどこだったっけと思い、もたれ掛かる香子を見て車の中だと思い出す。そして目をあげ、目の前に広がる景色に息をのんだ。

視界一面に星が輝いていた。身体が痛いのも忘れ、眠気も一気に吹き飛んだ。もっとよく見ようと体勢を立て直し、私は思わず吹き出した。星に見えたすべての明りは、遠くに浮かぶ街の明りだった。立ち並ぶビル群の、巨大なマンションの、ネオンサインの、群れをなして帰路に向かうテールランプの、駅に入る電車の、高速を縁どる蛍光灯の明りだった。

「何？　どうしたの？」

香子が目をこすりながら起きる。私は物置に閉じこめられた子供のように耳打ちした。

「香子、この景色何に見える」

「え？」香子はしばらく窓の外を眺めていたが、やがて言った。「そうね……蛍の群れ、大きなケーキの蠟燭《ろうそく》、とか？」

「あんまり突飛じゃないね、ホームが赤い花畑に見える人がよ」

「私今落ち着いてるから。今変なふうに見えたら大変よ。発作だもの、人に迷惑かけるわ」

香子が真剣に言うので私は大声で笑った。なになになにとクロが振り返り、何でもないと手をふった。

「じゃあカオルは何に見える？」

「星空」

私は答えた。

「いいよね、免許持ってない人は。ないしょ話したり居眠りしたりできて」前を向いたままクロが言う。

「違うって。街の明りが何に見えるか言ってたの」

「何にって？」

「星空とか、蛍の群れとかね」

「まあロマンチックですこと」

「クロは何に見える」

「街の明り」

「センスない」

香子が笑う。

「そういえば蛍っていないね」

「子供の頃は見たよね」

「おれの実家のほうにはまだいるよ」

「みんなそっちに大挙して移動したのかな」

「そうじゃない？　多分」

「海渡ったり線路越えたりして？」

「うん。水が合うほうに」

「みんなで？」

「多分ね」

クロと香子の会話がぼやけて通り過ぎる。眠りのあとの軽いだるさが全身を覆う。窮屈な場所でできるかぎりの伸びをした。まっすぐ伸ばした右足が、後部座席で眠るヒカルの頭を蹴《け》とばす。香子が笑い、つられて私も笑った。笑い声の先からだるさはすっと抜けていき、あの果てのない草の原で仰向けになったような解放感がふいに私を包む。調子に乗って、オキロオキロと何度もヒカルの頭を蹴った。

私たちを乗せた車は巨大な星空をぬって走る。またたく光の一点に、満天の星空を見上げるイタガキの姿が小さく見えた。

角田光代の〝疲労感〟について

石川忠司（文芸評論家）

角田光代が『空中庭園』で第一二八回直木賞の候補になったとき、「もし彼女がめでたく受賞したとして、直木賞というからには当然みんな痛快明朗なエンタテインメントを期待し本を手にとるのだろうけど、しかしその場合はたして世間は角田特有のあの荒《すさ》んだ〝疲労感〟に耐えられるのか？」と他人事ながら勝手に心配したものだ（結果は落選だったので心配は杞憂《きゆう》に終わった）。

こうした〝疲労感〟は本書収録の「ピンク・バス」において、いつにもまして十二分に発揮されているが、もちろんそれはここでいわゆる「疲れ果てて沈鬱《ちんうつ》な」主人公が特権的に描かれているという意味ではまったくない。この小説の主人公・サエコは、多くの角田作品の登場人物たち同様、むしろ脳天気なお調子者特有の可愛気があり、粗忽《そこつ》かつ浅はかでときに一種やわらかそうな小動物を思わせる。また「ピンク・バス」の物語自体も、純文学としてはまあとりたてて陰気とは言えないし、したがって角田光代につきまとう〝疲労感〃、とりわけ「ピンク・バス」に濃厚なかたちで感じられる〃疲労感〃とは、まずはひとえに彼女の文体＝生理自体からじんわりと滲《にじ》み出てくるものに違いない。
例えばサエコの目覚めのシーンはこんなふうに描写されている。

ものすごく嫌な夢を見た。身体を起こしたとたんにサエコは具体的な内容を忘れたが、気分がずっしり沈みこむような嫌な夢だった。ひどく暑い。身体が重く、脳味噌《みそ》がぱんぱんに膨らんで、鼻血が吹き出そうな感覚。また夏に逆戻りしたような感じ、額に手を当てて考えこむと、指の先にねっとりと汗が伝った。

（本文21ページ）

「身体が重く」といい「脳味噌がぱんぱんに膨らんで」といい「ねっとりと汗が伝った」といい、いちいち何ともひどく「平板」で「投げやり」な言葉の選択ではないか。通常の小説の場合なら、サエコは寝覚めの悪さに関し自らの個的な感覚にもっと忠実に寄り添い、すなわちさまざまな独創的なレトリックを駆使しつつ、当の寝覚めの悪さをなるたけリアルに生き生きと再現しようと努めるはずだろう。そうやって生まれる華麗な文章こそ「文学」にほかならぬと考える向きからすれば、なるほど角田の描写は単調で退屈、不毛きわまりない。

しかし角田光代の「不毛さ」は一般的な不毛さ――そんなのはたんなるダメな小説だ――とはかなり性質を異にするのであって、彼女の文章においては、まるで主人公のサエコが自分で自分の感覚＝寝覚めの悪さを主観的かつ克明に描写することをあきらめ、【その作業を丸ごと他人に投げうってしまった】かのごとくに見えやしないか。そして言うまでもなく、サエコに代わり「サエコ」として引き続き文章を綴《つづ》るのはまさに角田本人にほかならず、このときに生まれる描写の数々は、何しろサエコにとって角田は結局のところやはり「他人」なのだから、寝覚めが悪かった当事者ならではの臨場感を欠く、どうしても「単調」で「不毛」なものとならざるを得ないだろう。

二十世紀の小説では作者本人が物語に介入し、登場人物たちを押しのけて自らの肉声を作中に響き渡らせること自体は大して珍しい現象ではない。だが角田光代の小説にいたっては、独立の登場人物の一人として作者が物語に登場するのではなくて、例えば『ピンク・バス』の場合には、角田はあくまでもサエコの――不完全ではあるにしろ――代理を務めるのであり、こうして角田光代の作品に漂うあの荒んだ〝疲労感〟とは、何の因果か自ら創造した登場人物に「なる＝演じる」ために、作者がわざわざ作中に引っ張り出される事態が必然的に醸し出す、きわめてハードワーキングな雰囲気のことなのだと、ひとまずは言っておいていい。

＊

「ピンク・バス」は、角田の自ら登場人物に「なる＝演じる」文体と正確に呼応するであろう、主人公のサエコがやはりさまざまなキャラクターに「なろう」と志す内容の物語である。

大雑把な粗筋はこうだ。現在、サエコは夫のタクジとともに暮らす幸福そうな主婦なのだが、しかしこの「幸福そうな主婦」というキャラクターは、彼女がかなり強い意志で選択し勝ちとったものにほかならない。実はサエコは自ら決心してあるキャラクターに「なる＝演じる」のをたびたび繰り返し、その都度かつての記憶をご破算にしてきた過去を持っている。「(大学時代には) サークルを変えるたび、サエコはお嬢さまだったりエセインテリだったり、男にだらしない淫乱《いんらん》女だったり生れる時期を間違えた六〇年代的ヒッピー崩れだったりした」(本文13ページ)。またサエコは同じく大学時代、若いホームレスの平中鉄男を知って惹《ひ》かれたのをきっかけに、一年近く彼につきまとい公園で暮らすホームレスと「なって」いた経験もあり、そんな刺激的かつ無気力な毎日が破綻《はたん》したあと、あらためて現在につらなる平穏な結婚生活の方を選択したのだった。

サエコの生きざまはさして異常だとは思われない。（ヨーロッパ的もしくは日本的な）近現代人は、かつての固定的な身分の枷《かせ》から解放され自由になったと言われるが、「自由」とは畢竟《ひっきょう》選択肢の増大の謂《い》いにほかならず、近代以降ではすべての事項について、そもそも自分が「本来的・自然的に」何者であるかについてさえも、意志の力によって恣《し》意的に決定せざるを得なくなってしまった。「ピンク・バス」が描くのは、まさにそうしたわれわれにとってもはやお馴染《なじ》みの世界である。サエコにはこの意志的な選択というやつが何よりも重要で、実際彼女が平中鉄男を見限るのは、鉄男には意志の力がまったく欠けているからだ。「…彼は単純に何もしない人だった。（略）彼はすべての可能性の中からストイックに路上生活を選び出したのでなく、そうするしかほかになかったのだ」（本文69ページ）

しかしサエコの結婚生活は、彼女が妊娠したと同時に突然訪れて来たタクジの姉・実夏子の存在によって脅かされる。何年も音信不通、両親とも縁が切れた実夏子はとても気味の悪い女で、どうやら平中鉄男が属すあっちの世界の住人らしい。それを無意識的に気づいているサエコは、まるでご破算にしたはずの過去が現在の自分に復讐《ふくしゅう》しに来たかのごとく感じるのだが、結局「ピンク・バス」があつかっている問題は「意志」と「運命」との対立だと言っていいだろう。

一般に近現代人がうっとうしいのは現実を受け入れる潔さを知らず、「本来の自分」を探そうと自分にとって望ましいさまざまキャラクターに「なる」べく試みるのだけれど、腰が座っていなくてその都度失敗し、常に頭の中を歯切れの悪い自己愛と後悔とで一杯にしているからだ。もはや近現代人に学ぶことなど一切ない。今や「自由」とは「後悔」と同義なのに対し、一方角田光代が描くホームレスの世界には、ここでは誰もが「可能性の中からストイックに路上生活を選び出したのでなく、そうするしかほかになかった」がゆえに、「運命」の概念と(「後悔」ではなくて)さわやかな「諦念《ていねん》」とが存在する。

もちろん角田=サエコは依然「意志」の世界に留《とど》まろうとするだろう。しかしそれはあくまでも近現代的な「自己愛」だの「後悔」だのとは無縁なかたちにおいてなのである。「ピンク・バス」のラスト、ホームレスを拾って回っているらしきピンク塗装のバスがようやく実夏子を迎えに近所の公園まで来て、そしていよいよ出発のとき、実夏子に「一緒に行く?」と尋ねられたサエコは「急いで首を振り」、バスを見送ったそのあとで帰ろうとした彼女を突然以下の疑問が襲う。

……足を踏み出す段になって、サエコはどこへ帰ろうとしているのかわからない自分に気が付いた。どの部屋へ? どの時間へ? どの現実へ?

（本文93ページ）

これを固定的なキャラクター、固定的な時空間を持たぬ近現代人の哀れな錯乱・混乱と解釈してはならない。サエコは「どこへ帰ろうとしているのかわからな」くなり「どの部屋へ？　どの時間へ？　どの現実へ？」と問い続けざるを得ないあの「意志」の世界へ帰ろう、断固そこで生き抜こうとはっきり決意しているのであって、つまりここで角田＝サエコはさまざまなキャラクターを渡り歩く近現代人の「腰の座らなさ」を、そのままひとつの「運命」にまで引っ張り上げようとしているのではないか。

そうやってわれわれの「腰の座らなさ」が徹底化されたとき、はじめてそれは「自己愛」や「後悔」のたぐいとは無縁の潔さ、および「諦念」に比すべき骨太さとを身にまとうのだろう。「ピンク・バス」に感じられる飛び切りの〝疲労感〟には、角田光代の文体レベルでのハードワーキングさのみならず、そんな「何者かになり続ける／演じ続ける」労働を堂々と引き受けてみせるという作品の内容も、確かにあずかって力になっているに違いない。

枚数の関係で同時収録の「昨日はたくさん夢を見た」には触れられなかったが、この不在の「死者」とのコミュニケーションをあつかった作品は、角田光代本人が自作の中ではもっとも気に入っていると言っていた。『まどろむ夜のＵＦＯ』とともに角田光代の初期を代表する以上二作を、果たして読者はどのように読むのだろうか。

本書は一九九三年八月に福武書店より刊行された
単行本を文庫化したものです。

ピンク・バス

角《かく》田《た》光《みつ》代《よ》

角川文庫 13380

平成十六年六月二十五日　初版発行

発行者――田口恵司

発行所――株式会社角川書店

東京都千代田区富士見二―十三―三

電話　編集（〇三）三二三八―八五五五

　　　営業（〇三）三二三八―八五二一

〒一〇二―八一七七

振替〇〇一三〇―九―一九五二〇八

印刷所――旭印刷　製本所――コオトブックライン

装幀者――杉浦康平

か 39-2　　ISBN4-04-372602-3　C0193

角川文庫発刊に際して

角川源義

第二次世界大戦の敗北は、軍事力の敗北であった以上に、私たちの若い文化力の敗退であった。私たちの文化が戦争に対して如何に無力であり、単なるあだ花に過ぎなかったかを、私たちは身を以て体験し痛感した。西洋近代文化の摂取にとって、明治以後八十年の歳月は決して短かすぎたとは言えない。にもかかわらず、近代文化の伝統を確立し、自由な批判と柔軟な良識に富む文化層として自らを形成することに私たちは失敗して来た。そしてこれは、各層への文化の普及滲透を任務とする出版人の責任でもあった。

一九四五年以来、私たちは再び振出しに戻り、第一歩から踏み出すことを余儀なくされた。これは大きな不幸ではあるが、反面、これまでの混沌・未熟・歪曲の中にあった我が国の文化に秩序と確たる基礎を齎らすためには絶好の機会でもある。角川書店は、このような祖国の文化的危機にあたり、微力をも顧みず再建の礎石たるべき抱負と決意とをもって出発したが、ここに創立以来の念願を果すべく角川文庫を発刊する。これまで刊行されたあらゆる全集叢書文庫類の長所と短所とを検討し、古今東西の不朽の典籍を、良心的編集のもとに、廉価に、そして書架にふさわしい美本として、多くのひとびとに提供しようとする。しかし私たちは徒らに百科全書的な知識のジレッタントを作ることを目的とせず、あくまで祖国の文化に秩序と再建への道を示し、この文庫を角川書店の栄ある事業として、今後永久に継続発展せしめ、学芸と教養との殿堂として大成せんことを期したい。多くの読書子の愛情ある忠言と支持とによって、この希望と抱負とを完遂せしめられんことを願う。

一九四九年五月三日

角川文庫ベストセラー

角川文庫ベストセラー

贅沢な失恋

林真理子、北方謙三
藤堂志津子、村上龍
森瑤子、山川健一
村松友視

別れの予感をはらみながらテーブル越しに見つめあう二人……。当代一流の恋愛小説の名手による別れの晩餐。最高に贅沢な短篇集。

ワンス・ア・イヤー
私はいかに傷つき、いかに戦ったか

林真理子

あの日、あの恋、あの男。就職浪人の女子がベストセラー作家になるまでの、苦難と恍惚の道のりを鮮烈に描いた自伝的傑作長編小説。

ピンクのチョコレート

林真理子

贅沢と快楽を教えてくれた男が事業に失敗、最後の〝愛情〟で新しいパトロンに引継ぎを頼むが。自分で道を選べない女の切ない哀しみ。(山本文緒)

美女入門

林真理子

お金と手間と努力さえ惜しまなければ誰にでも必ず奇跡は起きる! センスを磨き、体も磨き、自ら「美貌」を手にした著者のスペシャルエッセイ!

美女入門 PART2

林真理子

モテタイ、やせたい、きれいになりたい! すべての女性の関心事をマリコ流に鋭く分析&実践! 大ベストセラーがついに文庫に!

愛していると言ってくれ

北川悦吏子

耳の聞こえない晃次を、紘子は手話を習い、ひたむきに愛するが…。豊川悦司主演で大ヒットした、せつない恋愛ドラマの決定版、完全ノベライズ。

恋につける薬

北川悦吏子

「ロンバケ」「最後の恋」――最強の恋愛ドラマを生み出した著者の、恋や仕事にゆれ動く心の内を活写したキュートな一冊。悩めるあなたにどうぞ。

角川文庫ベストセラー

ロングバケーション　北川悦吏子
何をやってもダメな時は、神様がくれた長い休暇だと思う。メガヒット・ドラマ「ロング バケーション」(木村拓哉・山口智子主演)完全ノベライズ!!

冷たい雨　北川悦吏子
ユーミンの楽曲をモチーフに、「愛していると言ってくれ」「ロンバケ」の北川悦吏子が描く短編恋愛ドラマ。表題作を含む8編を完全ノベライズ!!

恋愛道　北川悦吏子
ドキドキして、胸が痛んで、泣けてきて。「愛していると言ってくれ」「ロング バケーション」の脚本家・北川悦吏子のベストセラー・エッセイ。

最後の恋　北川悦吏子
夏目は大学病院に通うポリクリ。アキは心臓病の弟のため、売春をする。そんな二人が出逢った。中居正広&常盤貴子主演のドラマのノベライズ!!

毎日がテレビの日　北川悦吏子
「ビューティフルライフ」のカリスマ脚本家の日常はいったい?! クリーニング屋選びから「愛していると〜」「ロンバケ」の秘話(?)まで、一挙公開!!

ボーイフレンド　北川悦吏子
三谷幸喜・小田和正・金城武・岩井俊二・小林武史・内村光良・宮崎駿・つんく等15名。ボーイフレンド獲得大作戦に出たカリスマ脚本家の勝算はいかに!?

「恋」　北川悦吏子
「心が傷ついてる分、マスカラをいっぱいつけた」「あなたの着信履歴で この恋を終わらせる」。脚本家・北川悦吏子の初めての恋愛詩60篇を収録。

角川文庫ベストセラー

キオミ　内田春菊

妊婦に冷たい夫は女と旅行に出かけ、妻は夫の後輩を家に呼び入れる……芥川賞候補作となった表題作をはじめ、揺れる男女の愛の姿を描く作品集。

口だって穴のうち　内田春菊

内田春菊と各界を代表する個性たちとの垂涎のピロートーク。春菊節がさえわたり、つらい気持ち、切ない気分もきれいに晴れる、ファン必読の一冊。

24000回の肘鉄　内田春菊

「奥さんいるくせに」――。妻子あるサラリーマン伊藤享次と女性たちとの孤独でやるせない愛の日々をシニカルに描く、オフィスラブ・コミック。

私たちは繁殖している イエロー　内田春菊

ケダモノみたいに産み落とし、ケダモノみたいに育てたい！　生命と医学の謎に無知のまま挑む痛快妊産婦コミック。ベストセラー、文庫化第1弾！

彼が泣いた夜　内田春菊

嘘つきで調子の良い男と、誠実だけどしつこい男、そして……。出逢いと別れにゆれる女性の日常をリアルに描いた長篇小説。

水族館行こ　ミーンズ　I LOVE YOU　内田春菊

水族館をこよなく愛する著者が国内五十ヶ所の水族館を巡る、楽しいエッセイ集。これを読んだらきっと大切な人を水族館に誘いたくなる!!

カモンレッツゴー　内田春菊

ちっちゃいけれどからだは大人。パチンコの腕は右にでるものなし。キュートなクル美が巻き起こすとびきりポップなラブストーリー。

角川文庫ベストセラー

ノートブック　内田春菊
ある日、中学生の綺更は自分のノートに不思議な落書きを見つける。いったい誰がこんなことを？　家族の絆の温かさとせつなさが溢れる三部作。

HOME　内田春菊
新米ママのちょっぴり間抜けな毎日、共働き夫婦と双子の娘の日常……。著者本人の家庭も含めたいろんな家庭のいろんな事情がこの一冊に！

物陰に足拍子(全四巻)　内田春菊
両親を失い、兄夫婦と暮らす高校生、みどり。真摯なゆえに彷徨う魂の行方、微熱のような倦怠のなかで開かれていく性の姿を描いた傑作コミック。

目を閉じて抱いて(全五巻)　内田春菊
両性具有の人物、花房に吸い寄せられるように近づく男女の、倒錯した愛の姿を描き、人間の性愛の切なさ、哀しさをつきつめた傑作コミック。

息子の唇　内田春菊
永い虚しい日々の後に訪れた穏やかな時間。私の中で、彼のからだは水を跳ねる魚のようになる。「水の作家」内田春菊が描く生の渇きと潤い。

ヘンなくだもの　内田春菊
世界にあふれるヘンな人たち。果たしてあなたは笑うか、怒るか、脱力するか!?　可笑しくて、ちょっとエッチな連発コミック！

クリスマス・イヴ　内館牧子
恋人、元恋人、女友だち、純愛、不倫……いつの世も女心は変わらない。クリスマス・イヴまでもつれにもつれる恋模様！

角川文庫ベストセラー

あしたがあるから　内館牧子

OL令子に突然下りた部長の辞令。社長からは結婚延期の命令まで出されて……大手商社を舞台に明日を生きる、さわやかなOL物語。

…ひとりでいいの　内館牧子

ミス丸ノ内まどかが理想の男からプロポーズされた翌日、本当の恋に出会った！　打算づくの生き方におとずれた転機。

想い出にかわるまで　内館牧子

一流商社マンとの結婚をひかえたるり子。しかし妹久美子は、そんな姉の恋人に想いを寄せる。せつないラヴストーリー。

恋のくすり　内館牧子

恋につける薬はあるか？「想い出にかわるまで」「クリスマス・イヴ」……人気脚本家のおくる元気印の特効薬。

恋の魔法　内館牧子

締切もなんのその で国技館通い、憧れのスターに胸ときめかせ……いつだってエンジン全開、ひとりぼっちの夜も、この魔法で輝きだす！

愛してると言わせて　内館牧子

超多忙脚本家の毎日は、いつもキラキラ光ってる！　その秘密は愛されるだけじゃなく、「愛してる」ということ。

別れの手紙　内館牧子、髙樹のぶ子、瀧澤美恵子、玉岡かおる、藤堂志津子、松本侑子

女から男へ、母から娘へ……気鋭の女性作家があふれる物語のなかに再生への祈りをこめてしたためた、さわやかな恋愛小説アンソロジー。

角川文庫ベストセラー

アメリカ居すわり一人旅　群　ようこ

「アメリカに行けば何かがある」と、夢と貯金のすべてを賭けて遂に渡米！　普通の生活をそのままアメリカに持ち込んだ、無印エッセイアメリカ編。

無印ＯＬ物語　群　ようこ

あこがれの会社勤め、こんなはずではなかったのに……。困った上司や先輩に悩みつつも決して負けないＯＬたち。元気になれる短編集。

無印結婚物語　群　ようこ

マザコンの夫、勘違いな姑……。それぞれの夢と欲をふくらませた結婚生活が、「こんなもんか」と思えるまでの12のドラマティック・ストーリー。

無印失恋物語　群　ようこ

無難な恋と思っていたのに、破局が突然やってきた。言いつくせない無念さと解放感が新たな恋へとかりたてる明るいハートブレイク・ストーリー。

ホンの本音　群　ようこ

食品成分表、ぴあマップ文庫、編み物の本、そして古典、名作、新作。シンプルでユニークな群ようこの活字生活が浮かび上がる読書エッセイ。

無印不倫物語　群　ようこ

あこがれの彼に超ブスの奥さん、清楚な美人が実は……。恋にトラブルはつきものと、覚悟はあってもまさかの事態。明るい略奪愛の物語。

無印親子物語　群　ようこ

とんでもなくてトホホな親たち。これも運命とあきらめるか、反発するのか？　親子愛の名の下で繰り広げられるなんでもありの家族ストーリー。